SOMBRA

michael morpurgo

SOMBRA

ILUSTRAÇÕES DE
Christian Birmingham

TRADUÇÃO
Cássia Zanon

SOMBRA

First published under the original title:

SHADOW

Published under licence from HarperCollins Children's Books.

1ª edição — Novembro de 2011

Grafia atualizada segundo o Acordo Ortográfico da Língua Portuguesa
de 1990, que entrou em vigor no Brasil em 2009.

Editor e Publisher
Luiz Fernando Emediato

Diretora Editorial
Fernanda Emediato

Produtora Editorial
Renata da Silva

Assistente Editorial
Diego Perandré

Diagramação
Alan Maia

Tradução
Cássia Zanon

Revisão
Marcia Benjamim

Preparação
Fati Gomes

DADOS INTERNACIONAIS DE CATALOGAÇÃO NA PUBLICAÇÃO (CIP)
(Câmara Brasileira do Livro, SP, Brasil)

Morpurgo, Michael
Sombra / Michael Morpurgo ; ilustrações de Christian Birmingham ;
tradução Cássia Zanon. -- São Paulo : Geração Editorial, 2011.

Título original: Shadow.

ISBN 978-85-8130-009-2

1. Ficção norte-americana I. Birmingham, Christian. II. Título.

11-12843 CDD: 813

Índices para catálogo sistemático

1. Ficção : Literatura norte-americana 813

GERAÇÃO EDITORIAL

Rua Gomes Freire, 225/229 — Lapa
CEP: 05075-010 — São Paulo — SP
Telefax.: +55 11 3256-4444
Email: geracaoeditorial@geracaoeditorial.com.br
www.geracaoeditorial.com.br

2011
Impresso no Brasil
Printed in Brazil

Para Juliet, Hugh, Gabriel, Ros e Tommo

Prefácio

Esta história tocou a vida de muitas pessoas e também mudou suas vidas para sempre. É contada por três dessas pessoas: Matt, o avô dele e Aman. Eles estavam lá. Viveram a história. Então é melhor que eles mesmos a contem, com suas próprias palavras.

Quando as Estrelas Começam a Cair

Matt

Nada teria acontecido se não fosse pela árvore da vovó. E isso é fato. Desde que a vovó morreu — há mais ou menos três anos —, o vovô sempre vinha passar as férias de verão conosco em Manchester. Mas, neste verão, ele disse que não poderia vir porque estava preocupado com a árvore da vovó.

A família tinha plantado aquela árvore toda junta no jardim dele, em Cambridge. Era uma cerejeira, porque a vovó adorava as flores brancas que desabrochavam na primavera. Passamos o regador de mão em mão e cada um de nós despejou um pouco d'água na muda para lhe dar um bom começo.

— Ela agora faz parte da família — disse o vovô. — E é assim que vou sempre cuidar dela. Como alguém da família.

Foi por isso que, há algumas semanas, quando a mamãe ligou para perguntar se ele viria passar o verão conosco, ele disse que não poderia por causa da seca. Não chovia fazia um mês e ele estava preocupado que a árvore da vovó morresse. Ele não poderia deixar isso acontecer. Disse que precisava ficar em casa para regar a árvore. Mamãe fez o máximo para tentar convencê-lo.

— Outra pessoa certamente pode fazer isso — disse a ele. Não adiantou. Então, ela deixou que eu falasse com ele, para ver se me saía melhor.

Foi quando o vovô disse:

— Eu não posso ir até você, Matt, mas você poderia vir até mim. Traga o seu Banco Imobiliário. Traga a sua bicicleta. Que tal?

E foi assim que quando vi estava passando minha primeira noite na casa do vovô, sentado com ele do lado do fora, no jardim, ao lado da árvore da vovó e olhando para as estrelas. Havíamos regado a árvore, jantado e dado de comer ao Cachorro, que estava sentado aos meus pés, com a cabeça pesando nos meus dedos, o que eu sempre adorava.

Cachorro é o spaniel marrom e branco do vovô, sempre com a língua de fora. Ele baba um monte, mas é uma graça. Fui eu que dei a ele o nome de Cachorro, aparentemente porque quando eu era bem pequenininho o vovô e a vovó tinham um gato chamado Gato. Dizem que eu escolhi o nome porque gostava da ideia de ter um Cachorro e um Gato juntos. Assim, ele nunca ganhou um nome de verdade, pobre Cachorro.

Enfim, o vovô e eu jogamos a nossa primeira partida de Banco Imobiliário, que eu ganhei, e conversamos muito. Mas, naquele momento, estávamos juntos em silêncio, simplesmente admirando as estrelas.

Vovô começou a cantarolar e depois a cantar.

— *When the stars begin to fall...*[1] Não me lembro do resto — ele disse. — É de uma música que a vovó adorava. Eu sei que ela está lá em cima, Matt, neste instante, olhando para nós. Em noites como esta, as estrelas parecem estar tão perto, que quase conseguimos tocá-las.

Pude notar por sua voz que o vovô estava chorando. Como não sabia o que dizer, fiquei um tempo em silêncio. Então me lembrei de uma coisa. Foi quase como um eco na minha cabeça.

— O Aman me disse isso uma vez — contei a ele —, de as estrelas estarem tão perto da gente. Estávamos numa excursão da escola para uma

[1] *Em português: "Quando as estrelas começam a cair". (N. T.)*

fazenda em Devon, e escapamos só os dois para fazer uma caminhada à meia-noite. E lá estavam todas essas estrelas lá em cima, zilhões de estrelas. Deitamos num campo e simplesmente ficamos olhando para elas. Vimos Orion, a Ursa Maior e a Via Láctea, que não termina nunca. Ele disse que nunca havia se sentido tão livre como naquele momento. Então ele me contou que, quando era pequeno e veio morar em Manchester, achava que não havia estrelas na Inglaterra. E é verdade, vovô, não dá para ver as estrelas direito em Manchester, acho que é por causa das luzes da cidade. Ele disse que no Afeganistão as estrelas enchiam todo o céu e que elas pareciam muito próximas, como um teto pintado com estrelas.

— Quem é Aman? — o vovô me perguntou. Eu já tinha falado sobre o Aman antes. Ele inclusive o tinha visto uma ou duas vezes. Mas andava esquecendo as coisas ultimamente.

— Você sabe, vovô, é o meu melhor amigo — respondi. — Nós dois temos 14 anos — eu disse.

Até nascemos no mesmo dia, 22 de abril, eu em Manchester e ele no Afeganistão. Mas estão mandando ele de volta, de volta para o Afeganistão. Ele já esteve em casa com você lá, sei que esteve.

— Estou me lembrando dele agora — ele disse. — Baixinho e com um grande sorriso. O que você quer dizer com estarem mandando ele de volta. Quem está mandando ele de volta?

Então contei de novo — tinha certeza de que já havia contado tudo antes — sobre como o Aman havia chegado ao país em busca de asilo seis anos antes e como não sabia falar nem uma palavra em inglês quando começou a ir à escola.

— Ele aprende muito rápido também, vovô — eu disse. — O Aman e eu sempre estivemos na mesma turma na escola primária e agora na Academia Belmont. E você tem razão, vovô, ele é baixinho. Mas corre como o vento e joga futebol demais. Ele nunca fala muito sobre o Afeganistão, sempre diz que era outra vida, e uma vida que ele prefere não lembrar. Então eu não pergunto.

Mas, quando a Vovó morreu, descobri que o Aman era o único com quem eu podia conversar. Talvez porque eu soubesse que ele era o único que iria entender.

— Que bom ter um amigo assim — disse o vovô.

— Enfim — prossegui —, ele já está nesse tipo de cadeia, ele e a mãe dele, há mais de três semanas. Eu estava na casa dele quando o levaram embora, como se fosse um criminoso ou coisa parecida. Eles estão sendo mantidos presos lá até que sejam mandados de volta ao Afeganistão. Já escrevemos cartas na escola para o primeiro-ministro, para a rainha, para um monte de gente pedindo que deixem o Aman ficar. Eles nem se dão ao trabalho de responder. E eu também escrevi para o Aman, um monte de vezes. Ele respondeu só uma vez, logo depois de chegar lá, dizendo que uma das piores coisas de estar preso naquele lugar era que ele não podia sair à noite para olhar as estrelas.

— Tipo de cadeia, o que você quer dizer com tipo de cadeia? — o vovô perguntou.

— Yarl's alguma coisa — eu disse, tentando me lembrar do endereço para o qual eu havia mandado a carta. Então me lembrei. — Yarl's Wood, é isso.

— Fica aqui perto, eu sei. Não fica longe, pelo menos — disse o vovô. — Talvez você possa visitá-lo.

— Não adianta. Eles não deixam menores entrar — eu disse. — Nós pedimos. A mamãe ligou e disseram que não era permitido, que eu era jovem demais. De qualquer maneira, nem sei se ele ainda está lá. Como eu disse, já faz um tempo que ele não me escreve.

Vovô e eu ficamos em silêncio por um tempo. Ficamos apenas olhando para as estrelas de novo, e foi quando eu tive a ideia. Às vezes, acho que é de onde as ideias devem vir. Das estrelas.

"Tem Crianças Ali?"

Matt

Fiquei preocupado com a reação do vovô, mas achei que valia a pena tentar.

— Vovô? — eu disse. — Andei pensando no Aman. Quer dizer, talvez a gente pudesse descobrir. Quem sabe o senhor liga e descobre se ele ainda está lá? E, se estiver, você pode ir, vovô. Você poderia ir ver o Aman no meu lugar, não?

— Mas eu não o conheço — respondeu o vovô. — O que eu diria a ele?

Percebi que ele não gostou muito da ideia, então não insisti. Não dava para forçar o vovô a nada, a família toda sabe disso. Como a mamãe sempre diz, ele sabe ser um velho teimoso quando quer. Então ficamos sentados em silêncio, mas eu sabia que ele estava pensando.

Vovô não disse mais nada sobre o assunto naquela noite durante o café na manhã seguinte. Pensei que ele havia esquecido ou já havia decidido que não iria fazer a visita. De um jeito ou de outro, não achei que devesse trazer o assunto à tona de novo. E, de qualquer maneira, a essa altura eu mesmo já havia quase desistido da ideia.

Fazia parte da rotina diária do vovô, qualquer que fosse o clima, acordar e levar o Cachorro para uma caminhada pela beira do rio até Grantchester — era seu "exercício", como ele chamava. E sei que ele sempre gostou que eu o acompanhasse quando estava na casa dele. Eu não gostava muito de acordar cedo, mas, depois que saía, adorava as caminhadas, principalmente em manhãs nubladas como as de hoje.

Não havia ninguém por perto, a não ser por um ou dois barcos a remo e patos, muitos patos. Como havia vacas soltas no campo, era preciso levar o Cachorro na guia. Eu estava tendo um pouco de dificuldade para segurá-lo. Havia sempre alguma toca de coelho que ele simplesmente *precisava* parar para investigar ou algum montinho de terra com que ele insistia em fazer amizade. Ele me puxava o tempo todo.

— Mas é uma coincidência engraçada — o vovô disse de repente.

— O quê? — perguntei.

— Aquele tal de Yarl's Wood de que você falou ontem à noite. Acho que pode ser o centro de detenção que a vovó visitava antes de ficar doente. Não me lembro do que era, mas acho que se chamava Yarl's Wood — é provavelmente por isso que eu sabia do lugar. Ela fazia um tipo de trabalho voluntário.

— Trabalho voluntário?

— Sim — disse o vovô. — Ela entrava e conversava com as pessoas... sabe, as pessoas em busca de asilo, para alegrá-las um pouco, porque estavam passando por tempos difíceis. Ela fez muito disso em prisões durante sua vida. Mas nunca falava muito a respeito. Dizia que ficava muito chateada de falar no assunto. Pelo menos uma vez por semana ela saía de casa para fazer alguém um pouco mais feliz por um tempo. Ela era assim. Sempre dizia que eu também deveria fazer isso, que eu faria isso muito bem, mas eu nunca tive coragem. Acho que é a ideia de estar preso, mesmo sabendo que se pode sair quando quiser. Que bobagem, não?

— Sabe o que o Aman escreveu na carta dele, vovô? — eu disse. — Ele me contou que tem seis portas trancadas e uma cerca de arame farpado entre ele e o mundo aqui fora. Ele contou.

Foi nesse momento que nós dois nos olhamos e eu soube que o vovô havia decidido que iria fazer a visita. Não fomos a Grantchester. Demos meia-volta e fomos para casa, e o Cachorro não gostou nada disso.

O vovô se aposentou como jornalista e sabia como descobrir esse tipo de coisa. Assim que chegamos em casa, ele começou a telefonar. Descobriu que para visitar a Sra. Khan e o Aman em Yarl's Wood ele precisava escrever uma correspondência formal, pedindo permissão. A resposta demorou alguns dias para chegar.

A boa notícia foi que eles ainda estavam lá, e o pessoal de Yarl's Wood disse que o vovô poderia ir na quarta-feira, dois dias depois, e que o horário de visitas era das duas às cinco da tarde. Escrevi imediatamente para Aman contando que o vovô estava indo visitá-lo. Esperava que ele escrevesse uma resposta ou telefonasse. Mas ele não fez nada disso, e eu não entendi nada.

No caminho para lá, percebi que o vovô estava um pouco nervoso. Não parava de dizer que não sabia por que havia concordado com aquilo. O Cachorro estava no banco de trás, apoiando a cabeça no ombro do vovô e olhando para a estrada, como sempre fazia.

— Acho que o Cachorro conseguiria dirigir este carro sozinho se o senhor deixasse — eu disse, tentando animar o vovô um pouco.

— Eu queria que você pudesse ir comigo, Matt — ele disse.

— Eu também — respondi. — Mas o senhor vai ficar bem, vovô. Vá em frente. E o senhor vai gostar do Aman. Ele vai se lembrar do senhor, sei que vai. E está levando o Banco Imobiliário, não está? Ele vai ganhar do senhor, vovô. Mas não se preocupe com isso. Ele ganha de todo mundo. E diga a ele para me escrever, por favor? Ou mandar um torpedo, ou telefonar.

Estávamos percorrendo um longo caminho morro acima que parecia levar até o céu. Só quando chegamos ao topo da elevação foi que vimos os portões e a cerca de arame farpado ao redor.

— E tem crianças ali? — Vovô sussurrou.

Queremos Você de Volta

Vovô

Deixei Matt e Cachorro no carro e caminhei até os portões. Não estava nem um pouco animado com a situação. Sentia a mesma sensação de aperto na boca do estômago que me lembro de ter sentido no primeiro dia de aula na escola.

Um segurança sisudo abriu o portão. Ele combinava com o lugar. Se o Matt não estivesse me observando do carro como sabia que ele deveria estar, eu teria dado meia-volta naquele ponto, voltado para o carro e ido para casa. Mas eu não podia me envergonhar. Não podia decepcioná-lo.

Virei e vi que Matt já estava fora do carro dando uma volta com o Cachorro, como disse que faria. Acenamos um para o outro e eu entrei pelos portões. Agora não havia mais volta.

Caminhando na direção do prédio do centro de detenção tentei manter a coragem pensando em Matt. Desde que fiquei sozinho, há cerca de dois anos, Matt tem sido um grande companheiro. Adoro vê-lo brincando com o Cachorro.

O Cachorro vinha apenas suportando os dias, como eu, mas parecia um filhote quando Matt ficava em casa. Matt o deixava mais jovem e me deixa mais jovem também. Bastava pensar nos dois juntos para sorrir. Eles me alegravam. E isso era bom para mim. Eu vinha me sentindo muito para baixo ultimamente. Matt e eu não éramos mais apenas avô e neto, havíamos nos tornado grandes amigos.

Mas, ao me reunir com outros visitantes entrando naquele local, fiquei me perguntando qual era o sentido da minha visita a Aman. Afinal, aquelas pessoas em busca de asilo de Yarl's Wood não estavam prestes a ser deportadas de volta para os países de onde haviam vindo de qualquer maneira? Qual era o sentido de visitá-lo? Quer dizer, o que eu poderia fazer? O que eu poderia dizer que pudesse fazer alguma diferença?

Mas Matt queria que eu fizesse isso por Aman. Então, lá estava eu, dentro daquele lugar, com portões sendo trancados atrás de mim, com a caixa de Banco Imobiliário embaixo do braço. Ouvi o som de crianças chorando.

Como todos os demais visitantes, eu estava sendo examinado. A caixa do Banco Imobiliário teve de ser escrutinada pela segurança, e eu recebi uma severa repreensão por trazê-lo antes de qualquer coisa. Era contra o regulamento, mas talvez o levassem mais tarde, resmungaram para mim.

Por todo lugar o que eu via era mais daqueles guardas sérios. A revista física foi feita com agressividade e num silêncio hostil. Tudo naquele lugar me parecia detestável: a lúgubre sala dos armários em que os visitantes deviam deixar os casacos e bolsas, o cheiro institucional, o barulho de chaves abrindo fechaduras, as tristes flores de plástico na sala de visitas e o constante som de crianças chorando.

Então eu os vi, os únicos ainda sem visitante. Reconheci Aman imediatamente e percebi que ele também me reconheceu, como Matt disse que ele faria. Aman e sua mãe estavam sentados à mesa, esperando por mim, olhando para mim inexpressivamente. Não houve sorrisos. Nenhum dos dois parecia tão contente de me ver. Era tudo estruturado demais, formal demais, rígido demais. Como todos os demais na sala, nós tínhamos de nos sentar frente a frente, diante da mesa. E havia guardas por todo lado, todos vestindo seus uniformes em preto e branco, com chaves penduradas nos cintos, nos observando.

A mãe de Aman estava sentada com os ombros encurvados, inexpressiva, triste e em silêncio. Tinha olheiras profundas e parecia ensimesmada. Quanto a Aman, ele parecia ainda menor do que eu me lembrava, emaciado e magro como um galgo. Seus olhos eram dois poços de solidão e desespero.

Ficava dizendo a mim mesmo para não sentir pena deles. Eles não querem isso, não precisam disso, e saberão que você está com pena no instante em que sentir. Eles não são vítimas, são pessoas. Tente encontrar alguma coisa em comum. Faça o que o Matt disse no carro. Vá em frente. E reze para que tragam o Banco Imobiliário.

— Como está o Matt? — Aman perguntou.

— Ele está lá fora — eu disse. — Não deixam ele entrar.

Aman deu um sorriso fraco.

— Que estranho — ele disse. — Nós queremos sair e não deixam. E ele quer entrar, mas não deixam.

Tentei de várias maneiras falar sobre amenidades com a mãe dele. O problema era que ela falava muito pouco inglês. Por isso, Aman sempre precisava fazer a tradução para ela. Notei que Aman só ficava um pouco animado quando falávamos sobre Matt, e, mesmo nesse caso, eu me via fazendo todas as perguntas. Acho que teríamos ficado ali em silêncio se eu não tivesse feito as perguntas. Qualquer pergunta que não fosse sobre Matt, ele apenas se virava para a mãe e traduzia as respostas, que eram na maioria "sim" ou "não". Por mais que eu tentasse, não parecia conseguir fazer com que uma conversa fluísse entre nós três.

Assim, fiquei um pouco surpreso quando Aman falou de repente por conta própria.

— A minha mãe não está bem — ele disse. — Ela teve um de seus ataques de pânico hoje de manhã. O médico deu um remédio que a deixa meio sonolenta. — Ele falava muito corretamente e com muito pouco sotaque.

— Por que ela teve um ataque de pânico? — perguntei, imediatamente me arrependendo da pergunta. Pareceu intrusiva e pessoal demais.

— É este lugar. Estarmos presos aqui — ele respondeu. — Ela ficou presa uma vez no Afeganistão. Ela não fala muito sobre isso, mas sei que bateram nela. A polícia. Ela odeia a polícia... odeia estar presa. Tem pesadelos com a prisão no Afeganistão, sabe? Então, às vezes, quando acorda aqui, vê que está na prisão de novo... vê os guardas e tem um ataque de pânico.

Foi quando o guarda chegou com o Banco Imobiliário.

— Você está com sorte. Mas só desta vez, está bem? — ele disse e se afastou.

Miserável, pensei. Mas sabia que era melhor guardar meus sentimentos para mim mesmo. Agora que estava com o jogo, não queria que ele tirasse de mim.

— Banco Imobiliário — eu disse. — Matt me disse que você gosta de jogar e que joga muito bem.

Seu rosto se iluminou.

— Banco Imobiliário! — ele disse. — Olhe, mãe, Banco Imobiliário. Lembra onde jogamos a primeira vez? — Então se virou para mim. — Eu jogava muito com o Matt. Eu nunca perco — ele disse. — Nunca.

Ele abriu o tabuleiro imediatamente e arrumou todas as peças, esfregando as mãos deliciado ao terminar. Então começou a rir sem parar.

— Está vendo o que diz aqui? — ele gritou, apontando para o tabuleiro. — Está escrito "Vá para a prisão!". Vá para a prisão! Isso é muito engraçado, né? Se eu parar aqui, vou para a prisão, dentro de uma prisão. E você também!

A risada dele me contagiou, e logo nós dois estávamos rindo histericamente.

Foi quando vi uma policial vindo em nossa direção. O fato de ser mulher não a tornava menos agressiva.

—Vocês estão perturbando os outros. Façam silêncio. Falem mais baixo — ela disse. — Não vou avisar de novo. Se fizerem isso novamente, vou encerrar a visita, entenderam?

Ela estava sendo desnecessariamente agressiva, e eu não gostei nem um pouco daquilo. Desta vez, não tentei esconder meus sentimentos.

— Então é proibido rir aqui dentro, é isso? — protestei. — As pessoas podem chorar, mas não podem rir, é isso?

Ela me lançou um olhar duro por um longo tempo, mas no fim apenas deu meia-volta e se afastou. Foi uma pequena vitória, mas pude ver pelo sorriso no rosto de Aman que ele achou que foi muito mais do que isso.

— Boa — ele sussurrou, fazendo um discreto sinal de positivo com o polegar.

Sombra

Vovô

Matt estava certo quanto à perícia do Aman no Banco Imobiliário. Em uma hora, ele possuía quase toda Londres e havia me deixado falido e na cadeia.

— Está vendo? — ele disse, socando o ar com as duas mãos, triunfante. — Eu sou muito bom nos negócios, como o meu pai. Ele era fazendeiro. Onde nós vivíamos, em Bamiyan, no Afeganistão. Ele tinha ovelhas, muitas ovelhas, as melhores do vale. E produzia maçãs, também, grandes maçãs verdes. Eu adoro maçãs.

— Tenho umas ótimas maçãs no jardim de casa — eu disse a ele. — Lindas maçãs rosadas. Elas se chamam James Greave. Vou trazer algumas da próxima vez que vier aqui.

— Eles não vão deixar você trazer — ele disse, melancolicamente.

— Eu posso tentar... trouxe o Banco Imobiliário, não trouxe?

Ele sorriu. Então, inclinando-se para frente de repente, e ignorando a mãe, começou a me fazer todo tipo de pergunta, algumas sobre onde eu morava, o que eu fazia e qual era o meu time de futebol. Pude perceber que Matt já havia lhe contado muitas coisas sobre mim, e isso me deixou muito contente. Mas Aman queria falar principalmente sobre Matt, sobre como havia recebido todas as cartas e depois de um tempo havia decidido não responder mais, porque sabia que não voltaria a ver Matt, e isso apenas o entristecia.

— Não diga isso... Você não sabe se não vai mais vê-lo.

— Eu sei, sim — ele disse. É claro que eu sabia que ele tinha razão, mas pensei que devia lhe dar alguma esperança.

— Nunca se sabe — eu disse. — Nunca se sabe.

Foi então que me lembrei da foto de família que eu havia levado de última hora — mais uma das ideias de Matt, e uma boa ideia, pensei. Tirei a foto do bolso do casaco e estava prestes a entregá-la para ele.

De repente uma guarda começou a gritar conosco. E então ela começou a atravessar o salão até a nossa mesa — era a mesma mulher que havia me repreendido antes. Agora todos no salão estavam olhando para nós.

— Isso não é permitido! — A esta altura, ela estava praticamente em cima de nós, ainda gritando. — Você está apenas tentando perturbar, é isso?

Agora eu estava bravo mesmo, e deixei isso claro.

— Pelo amor de Deus, é só uma foto de família — mostrei a ela. — Olhe — eu disse. Ela tirou a foto da minha mão e a examinou com a cara amarrada, demorando um pouco antes de devolvê-la.

— No futuro — ela me disse — tudo deve passar pela segurança. Tudo.

Assenti com a cabeça, apertando os lábios até ela se afastar. Eu me odiei por fazer isso, por não responder. Mas sabia que ter uma discussão com ela seria inútil, se eu queria que Aman visse a foto. Esperei até que ela estivesse longe, pisquei triunfantemente para Aman, passei a foto para ele por cima da mesa e comecei a mostrar quem eram todos.

— Esta é a família no jardim no verão passado. Aqui está a macieira. E aqui está o Matt, ajoelhado ao lado do Cachorro. Sim, eu sei, não é um nome muito criativo para um cachorro, né? Acho que ele tem a mesma idade do Matt e a mesma idade sua. Isso é muito velho para um cachorro.

De repente, Aman fez uma expressão tensa. Pegou a foto para olhar mais de perto.

— Sombra — ele sussurrou, e vi que seus olhos estavam se enchendo de lágrimas. — Sombra.

— Como? — perguntei, sem entender coisa alguma. — É alguma coisa na foto?

Sem dizer nada, Aman se levantou e saiu correndo do salão. A mãe foi atrás dele imediatamente, deixando-me lá sentando e me sentindo um idiota. Olhei para a foto, ainda tentando entender o que poderia haver naquela foto de família para deixá-lo tão chateado.

Foi quando outro guarda se aproximou para falar comigo num tom baixo e excessivamente confidente.

— Temperamentais — ele disse. — Este é o problema deles. E vou logo avisando, esse ali sabe ser um pouco azedo também.

Tive vontade de me levantar e lhe dar um chacoalhão. Eu devia ter dito alguma coisa. Devia ter dito: "E como você se sentiria estando engaiolado aqui dentro desta maneira? Ele é só um menino, sem casa, sem esperança, sem perspectiva a não ser a deportação".

Em vez disso, e pela segunda vez naquele dia, eu não disse nada. Ao ficar em silêncio, senti como se tivesse traído Aman mais uma vez. Sob qualquer ponto de vista, tudo havia sido minha culpa. Eu nunca deveria ter mostrado a foto a Aman.

Ele estava apenas começando a confiar em mim, e eu estraguei tudo. Eu não entendia por que, mas isso não fazia com que eu me sentisse nem um pouco melhor a respeito. As pessoas estavam olhando para mim. Eu tinha certeza de que elas achavam que eu havia de alguma forma chateado o Aman intencionalmente. Esperei alguns minutos, esperando que ele pudesse voltar, mas ao mesmo tempo querendo sair dali. Como ele não reapareceu, resolvi guardar o Banco Imobiliário o mais rapidamente possível e ir embora.

Eu tinha acabado de juntar as últimas notas de dinheiro do Banco Imobiliário e estava fechando a tampa da caixa quando vi Aman cruzando o salão na minha direção. Ele se sentou à minha frente de novo sem dizer uma palavra, sem sequer olhar para mim. Achei que era melhor eu dizer alguma coisa.

— Eu posso deixar o Banco Imobiliário, se você quiser, se deixarem — eu disse. — Quem sabe você pode jogar com os seus amigos.

— Eu não tenho amigos aqui — ele disse, ainda sem erguer o olhar. — Todos os amigos que eu tinha estão lá fora. E eu estou aqui dentro. — Então ele olhou para mim. — Mas tenho uma foto dos meus amigos. A mamãe disse que eu deveria mostrá-la a você.

Olhou ao redor para se certificar de que ninguém estava vendo, tirou um pedaço de papel dobrado do bolso e o entregou a mim disfarçadamente por debaixo da mesa. Abri o papel sobre os joelhos.

Era um e-mail impresso com a foto de um time escolar de futebol com uma faixa azul. Estavam todos amontoados e rindo para a câmera. Matt estava de pé atrás, com os braços para cima, como se tivesse acabado de marcar um gol.

— Este é o meu time de futebol, e ali está o Matt. Está vendo ele? — disse Aman. — A escola me mandou. E esta é a minha camiseta. — Eles estavam

segurando uma camiseta de time de futebol azul--clara. Nas costas havia um número sete e, embaixo do número, escrito em letras grandes, AMAN.

— Se contar os jogadores — ele continuou —, você vai ver que só há dez. Devia haver 11. Eu sou o que está faltando. Este é o Marlon, centroavante, 27 gols no ano passado, bom como o Rooney, ou melhor. E o alto, que parece uma girafa, ao lado do Matt lá atrás, é Flat Stanley, nosso goleiro, sorrindo muito e fazendo sinal de positivo. Está vendo?

Eu estava vendo, bem no meio lá atrás. Junto com todos os outros na fileira de trás. Ele estava segurando uma enorme faixa que dizia QUEREMOS VOCÊ DE VOLTA.

— Estes são os meus amigos — Aman me disse. — Quero voltar para eles, voltar para a minha escola, voltar para a minha casa em Manchester. É o meu lar, o lar da mamãe. É onde mora o tio Mir, onde mora toda a nossa família. A mamãe pede desculpas, mas ela está muito cansada e precisa se deitar. Mas disse que eu devia vir ver você e conversar. Quando falei com a mamãe há pouco, ela disse que sonhou com você ontem à noite, antes mesmo de conhecê-lo, e com o papai e a caverna em que morávamos em Bamiyan, com os soldados e com a Sombra.

— Sombra? O que é... quem é Sombra? — perguntei.

— Sombra era a nossa cachorra — disse Aman. — Ela era igualzinha ao cachorro na sua foto. Nós a chamávamos de Sombra quando era nossa. E depois a chamavam de Polly. Ela teve dois nomes porque teve duas vidas. Ela era marrom e branca como o seu. Tinha os mesmos olhos caídos e orelhas compridas.

Tudo era muito desconcertante, difícil demais de entender.

— Então a Sombra é sua cachorra e está em sua casa de Manchester? É isso? — perguntei.

Aman sacudiu a cabeça.

— Não. Foi o que a mamãe me disse — ele respondeu. — Ela disse que eu devia contar tudo, tudo sobre a Sombra, Bamiyan e sobre como nós viemos parar aqui neste lugar. Como eu disse, a mamãe contou que sonhou com você ontem à noite, antes mesmo de conhecê-lo. Ela me disse que, no sonho, você nos pegou pelas mãos e nos levou embora daqui. Ela disse que não estava muito segura a seu respeito no começo, mas que agora está. Disse que você é um bom ouvinte e tem bom coração, que todos os bons amigos são bons ouvintes. Como o Matt, ela disse, exatamente como o Matt. Por que mais você viria nos ver se não quisesse nos escutar? Ela disse que você é a nossa última chance, a nossa última esperança de voltar para casa em Manchester, de ficar na Inglaterra. Por isso ela me disse para contar toda a história agora, desde o começo, para que você saiba por que nós viemos para a Inglaterra e o que aconteceu conosco. Ela disse que talvez você possa nos ajudar, se Deus quiser. Ela disse que ninguém mais pode, não agora. Você vai nos ajudar?

— Eu vou tentar, Aman, é claro que vou — respondi. — Mas eu não quero que você fique com falsas esperanças. Eu realmente não posso prometer nada.

— Eu não quero promessas — ele disse. — Eu só quero que você escute a nossa história. Só. Você vai fazer isso?

— Estou ouvindo — respondi.

Bamiyan

Aman

Acho que primeiro você precisa saber sobre o meu avô, porque de certa forma ele foi o começo.

Eu não o conheci, mas a mamãe costumava me contar as histórias dele — e ainda conta às vezes. Então, de certa maneira, eu o conheço, sim.

Houve uma época, segundo o vovô contou a ela, em que o Afeganistão não era como hoje. Bamiyan, onde nós morávamos, era um vale lindo e pacífico. Havia muito que comer, e os povos diferentes não brigavam entre si. Pashtun, usbek, tagik, hazara... a minha família é hazara.

Então vieram os estrangeiros. Primeiro os russos, com seus tanques e aviões, depois disso não houve mais paz. Logo, não havia mais comida. Meu avô os combateu com a resistência dos mujahadin. Mas os tanques russos invadiram o nosso vale e Bamiyan, mataram meu avô e muitos outros.

Tudo isso aconteceu muito antes de eu nascer.

Depois que os russos foram expulsos, a mamãe lembra que todos ficaram felizes por um tempo. Mas então os talibãs vieram. No começo, todos gostaram deles, porque eram muçulmanos, como nós. Mas logo descobriram como eles realmente eram. Eles nos odiavam, principalmente os hazaras, como nós. Eles nos queriam mortos. Quem não concordasse com eles era assassinado. Eles nos deixaram sem nada. Destruíram tudo. Queimaram nossos campos. Explodiram as nossas casas, todas elas. Matavam quem queriam. Não havia o que se pudesse fazer, a não ser se esconder.

Foi por isso que eu nasci numa caverna no penhasco acima da cidade. Eu cresci nessa caverna, com a minha mãe e a minha avó. Eu não era infeliz. Ia à escola e tinha amigos com quem brincar. Não sabia que as coisas podiam ser diferentes.

A mamãe e a vovó discutiam muito, quase sempre sobre a mesma coisa, sobre as joias da vovó, que ela mantinha escondidas, costuradas no colchão. A mamãe estava sempre tentando vendê-las para comprar comida quando tínhamos fome. E a vovó nunca deixava. Ela dizia que nós sempre estávamos com fome e que conseguiríamos sobreviver de alguma forma, se Deus quisesse. Ela sempre dizia que havia algo mais precioso do que comida, e que ela estava guardando as joias para isso. Ela não dizia o que era isso, o que deixava a mamãe muito brava e chateada. Mas eu não me importava muito com as discussões delas. Acho que estava acostumado.

Todos com quem eu me importava no mundo moravam em cavernas, mais ou menos cem pessoas,

pois não havia aonde ir porque o Talibã nos deixou sem ter onde morar. Eles haviam explodido toda Bamiyan, todas as casas, até mesmo a mesquita.

E fizeram mais do que isso. Também explodiram as grandes estátuas do Buda que haviam sido entalhadas nas montanhas milhares de anos antes. A mamãe os viu fazer isso. Ela me contou que as estátuas eram as maiores esculturas de pedra de todo o mundo e que pessoas de muito longe iam a Bamiyan vê-las, de tão famosas que eram. Mas agora não restava mais nada delas, apenas grandes montes de pedras. O Talibã explodiu as nossas vidas inteiras.

Eram pessoas cruéis.

Então vieram os americanos com seus tanques, helicópteros e aviões, e os talibãs foram expulsos do vale. A maioria deles, pelo menos. Todos pensamos que as coisas melhorariam para nós a partir dali. Como o papai falava um pouco de inglês, ele se tornou meio que um intérprete dos americanos. As pessoas diziam que logo haveria casas para morarmos e uma nova escola. Mas nada parecia mudar. Agora havia mais comida, mas nunca o suficiente. Então nós ainda tínhamos fome. Na caverna, a mamãe e a vovó começaram a brigar de novo.

As coisas estavam voltando ao normal.

Só que, numa noite, o Talibã entrou em nossa caverna e levou meu pai embora. Eu tinha seis anos de idade. Eles o chamaram de traidor, porque havia ajudado os americanos infiéis. A mamãe lutou com eles, mas não era forte o bastante. Eu gritei, mas eles simplesmente me ignoraram.

Nunca mais vimos o meu pai de novo. Mas eu me lembro dele muito bem. Ninguém pode roubar as lembranças que tenho dele. Ele costumava me mostrar a casa em que ele havia morado no vale, e às vezes nós caminhávamos pelas terras em que ele costumava pastorear suas ovelhas, plantar cebolas e melões e o pomar em que produzia suas grandes maçãs verdes.

O papai sempre me deixava ir junto com ele para carregar o burro com gravetos para o fogo. E todos os dias nós descíamos até o riacho para pegar água e a levávamos de volta montanha acima até a caverna. Às vezes ele me levava até a cidade para comprar pão ou um pouco de carne no açougueiro, se tínhamos dinheiro. Todos gostavam dele. Nós dávamos muita risada juntos, e ele lutava e brincava comigo.

Ele era um bom pai. Era um bom homem.

Mas o Talibã havia destruído tudo, derrubado os pomares, queimado as plantações e levado o papai embora. Eu nunca mais ouvi a risada dele. Tudo o que tínhamos dele era o velho burro. Eu conversava com ele às vezes. Ele estava muito triste, como eu. Acho que aquele burro sentia tanta falta do papai quanto eu.

Depois disso, ficamos apenas nós três na caverna, a mamãe, a vovó e eu. Durante meses depois que o papai foi levado embora, a vovó passava os dias deitada no colchão do canto, com a mamãe sentada ao lado dela, olhando para o nada, quase sem falar. Cabia a mim conseguir arroz ou pão suficientes para sobrevivermos. Eu pedi esmola. Eu roubei. Precisava fazer isso. Pegava a água do riacho, fazendo a longa caminhada montanha abaixo e depois montanha acima, e tentava conseguir gravetos suficientes para mantermos o fogo aceso.

De alguma forma, conseguimos passar os invernos sem morrermos de fome ou de frio. Mas as pernas da vovó estavam ficando cada vez piores. Ela mal conseguia se levantar sem ajuda.

O que aconteceu com a mamãe foi culpa minha. Eu estava com ela no mercado na cidade quando roubei uma maçã, só uma maçã, nada de mais — a esta altura não tínhamos mais nenhuma das nossas. Eu era bom furtando coisas. Nunca havia sido apanhado antes. Mas, dessa vez, eu me descuidei. Dessa vez, me pegaram.

"Cachorro Sujo! Cachorro Estrangeiro Sujo!"

Aman

Lembro que houve muitos gritos.

— Ladrão imundo! Maldito mendigo! Pega ladrão! Pega ladrão!

Eu tentei fugir, mas, antes que conseguisse escapar, alguém me agarrou. Ele não parava de me bater e não me soltava.

A mamãe veio me salvar, me proteger, mas uma multidão havia se formado, e de repente a polícia estava lá. A mamãe disse que ela havia roubado a maçã, não eu. Então pegaram a mamãe em vez de mim e a levaram para a prisão. Bateram nela. Ela ainda tem as marcas nas costas. Ela ficou fora por quase uma semana.

Ela foi torturada.

Quando voltou, ela se deitou no colchão ao lado da vovó e as duas choraram juntas durante vários dias. Ela virava o rosto para mim e não falava comigo. Eu me perguntava se algum dia ela voltaria a falar.

Não foi muito tempo depois disso que a cachorra entrou na nossa caverna pela primeira vez — uma cachorra exatamente igual ao seu cachorro naquela foto que você me mostrou.

Mas, quando eu a vi naquela primeira noite, ela estava magra, suja e coberta de feridas. Eu estava agachado perto do fogo me aquecendo quando levantei o olhar e a vi ali, sentada, me encarando. Ela era diferente de qualquer cachorro que eu tinha visto antes. Era pequena, com as patas curtas, as orelhas compridas e os olhos castanhos.

Gritei para ela ir embora — sabe, nós não deixamos os cachorros entrarem em casa no Afeganistão. Os cachorros ficam do lado de fora com os outros animais. É claro que depois de morar muito tempo aqui eu sei que na Inglaterra é diferente. Algumas pessoas daqui gostam mais dos cachorros do que dos filhos. Na verdade, acho que se eu fosse um cachorro, não me trancariam aqui desse jeito.

Enfim, eu atirei uma pedra na cachorra para enxotá-la. Mas ela ficou exatamente onde estava e não se mexeu. Simplesmente ficou ali sentada.

Então percebi que ela estava tremendo. Dava para ver os ossos dos quadris saltando para fora, de tão magra que estava. Tinha feridas por todo o corpo e era claro que estava faminta. Assim, em vez de atirar outra pedra nela, atirei um pedaço de pão dormido. Ela o apanhou imediatamente, mastigou, engoliu e se lambeu, esperando por mais.

Atirei outro pedaço. Então, antes que eu me desse conta, ela estava dentro da caverna deitada ao meu lado, perto do fogo, sentindo-se em casa, como se pertencesse àquele lugar. Notei que ela tinha uma ferida numa das patas, como se tivesse brigado com outro cachorro ou coisa parecida. Ela não parava de lamber aquela ferida.

A mamãe e a vovó estavam dormindo profundamente. Eu sabia que elas iriam mandar a cachorra embora quando a vissem, mas gostava de tê-la ao meu lado. Eu queria que ela ficasse. Ela tinha olhos doces e amigáveis. Eu sabia que ela não iria me machucar. Então me deitei e dormi ao seu lado.

Na manhã seguinte, bem cedo, ela me seguiu até o riacho quando fui buscar água. Ela mancou muito durante todo o caminho. Deixou que eu lavasse sua pata e limpasse a ferida. Então eu disse que ela precisava ir e bati palmas tentando mandá-la embora. Eu sabia que qualquer um que a visse iria jogar pedras nela — como eu mesmo havia feito, afinal —, e não queria isso. Mas durante todo o caminho montanha acima ela não saiu do meu lado. É claro que assim que fomos vistos, um bando de crianças veio correndo pela trilha e a espantou. As crianças atiraram pedras e gritaram:

— Cachorro sujo! Cachorro estrangeiro sujo!

Tentei de tudo para fazê-los parar, mas eles não deram atenção. Hoje eu não os culpo. Afinal, como eu disse, ela era diferente, nem um pouco parecida com o tipo de cachorro com que nós estávamos acostumados. Ela saiu correndo e desapareceu. Eu achei que nunca mais iria vê-la.

Mas naquela noite ela apareceu de novo na entrada da caverna. Descobri que gostava de tripa, por mais podre que estivesse. Sabe o que é tripa? É um tipo de carne, do forro do estômago da vaca. Era a única carne que conseguíamos comprar em Bamiyan. Enfim, como ainda havia alguns pedaços podres, eu atirei para ela.

Só que, mais tarde, quando a cachorra entrou na caverna para ficar perto do fogo de novo, a mamãe e a vovó acordaram e viram o que estava acontecendo. As duas ficaram furiosas comigo e disseram que todos os cães eram sujos e que eu não devia deixá-la entrar. Então, eu a peguei no colo e a deixei na entrada da caverna, onde ela ficou nos observando até a mamãe e a vovó irem para a cama. Depois disso, ela pareceu entender que podia entrar, porque quando eu me deitei ela estava mais uma vez ao meu lado.

"Vocês Devem vir para a Inglaterra."

Aman

Durante várias semanas, foi o que aconteceu.

De alguma forma, a cachorrinha parecia saber que quando eu estava sozinho, ou quando elas estavam dormindo profundamente, não havia problema de ela entrar na caverna. E também sabia quando ficar à distância. Todas as manhãs, quando eu acordava, ela estava sentada na entrada da caverna e descia comigo até o córrego. Bebia muita água e esperava que eu banhasse sua perna ferida. Então, desde que não houvesse mais ninguém por perto, ela me acompanhava quando eu saía com o burro para juntar gravetos para o fogo.

Mas havia dias, principalmente aqueles em que meus amigos estavam por perto, que eu mal a via, apenas de relance e à distância, me observando. Eu sentia sua falta, mas era bom saber que ela ainda estava por perto. Mais cedo ou mais tarde, todas as noites ela acabava se aproximando da entrada da caverna e ficava esperando pela comida e pela mamãe e a vovó caírem no sono. Então ela entrava e se deitava ao meu lado, com a carinha tão perto do fogo, que eu achava que ela queimava os bigodes.

Numa manhã, acordei cedo e vi que ela não estava lá. Então vi por quê: a vovó já estava acordada. Estava sentada no colchão, com a mamãe ainda deitada ao seu lado. Pude ver que mamãe estava chateada, quase chorando. Achei que talvez elas tivessem tido outra discussão ou que as costas da mamãe estivessem doendo de novo.

Mas logo soube do que se tratava. As duas já haviam falado muito sobre o assunto antes, sobre a ideia de a mamãe e eu deixarmos Bamiyan e irmos embora para a Inglaterra sozinhos, sem a vovó. Ela dizia que estava velha demais para vir conosco. Às vezes a vovó lia os cartões-postais que o tio Mir mandava da Inglaterra. Eu nem conhecia o tio Mir — ele é o irmão mais velho da mamãe —, mas parecia que conhecia. Eu conhecia a sua história. Ele havia ido embora de Bamiyan muito antes de eu nascer.

Todos nas cavernas sabiam do tio Mir, de como ele havia ido embora quando jovem em busca de um emprego em Cabul, que havia conhecido e se casado com uma enfermeira inglesa, uma moça chamada Mina, e então se mudado com ela para a Inglaterra. Ele nunca voltou, mas escrevia sempre para a vovó. Como o tio Mir era seu único filho homem, as cartas e cartões-postais dele eram muito importantes para ela.

Ela estava sempre olhando para eles. As cartas e os cartões eram entregues de tempos em tempos por amigos do tio Mir que vinham da Inglaterra para nos visitar, e ela os guardava escondidos no colchão com todas suas outras preciosidades. Ela adorava me mostrar os cartões-postais, de ônibus vermelhos, de soldados de capas vermelhas marchando, de pontes sobre o rio de Londres. Tinha um que ela lia para nós sem parar. Lembro de quase todas as palavras. Sempre que ela o lia, tinha início uma discussão.

— Um dia — a vovó lia em voz alta — vocês devem vir para a Inglaterra. Vocês podem morar na nossa casa. Mina e eu temos lugar para todo mundo. Aqui não há guerra nem lutas. Meu trabalho com o táxi está indo bem agora. Tenho dinheiro que posso mandar para ajudá-los a vir.

E a mamãe sempre discutia:

— Eu não quero saber de Mir e seus cartões-postais. E, de qualquer maneira, eu já não disse mil vezes que não vou a lugar algum sem você? Quando as suas pernas estiverem melhores, se Deus quiser, talvez a gente vá.

— Se forem esperar as minhas pernas melhorarem, vocês nunca irão — a vovó contra-argumentava. — Eu sou sua mãe. Mas o seu pai diria o mesmo se estivesse conosco. Eu só estou pedindo para vocês fazerem isso porque é o que ele pediria. Eu estou velha. Já tive o meu tempo. Eu sei disso. Sinto dentro de mim. Estas pernas nunca mais voltarão a andar como antes. Você e Aman devem ir. Não há nada para vocês aqui além de fome, frio e perigo. Você sabe o que vai acontecer se ficarem. Sabe que a polícia voltará. Vá para a Inglaterra ficar com Mir. Vocês estarão a salvo lá. Ele vai cuidar de vocês. Lá vocês estarão longe do perigo, longe da polícia. Ouça o que Mir está nos dizendo. Lá, a polícia não vai botar você na prisão e bater em você. Lá, vocês não terão de viver numa caverna como animais.

A mamãe sempre tentava interrompê-la, e a vovó detestava isso. Um dia, lembro que ela ficou muito irritada, mais irritada do que nunca.

— Você deveria ter algum respeito por sua velha mãe — ela gritou. — Você espera que o Aman faça o que você disser, não espera? Não espera? Bem, então você precisa fazer o que eu digo. Estou dizendo que estarei nas mãos de Deus muito em breve. Não preciso que vocês fiquem. Deus vai cuidar de mim, assim como cuidará de vocês em sua viagem para a Inglaterra.

Ela pôs a mão embaixo do vestido e pegou um envelope, que esvaziou sobre o cobertor ao seu lado. Eu nunca tinha visto tanto dinheiro em toda a minha vida.

— Na semana passada, o amigo de Mir trouxe outra carta, desta vez com dinheiro também. Ele disse que é o bastante para tirar vocês do Afeganistão, passando pelo Irã e a Turquia, até a Inglaterra. No lado de fora do envelope ele escreveu os telefones das pessoas que você deve procurar em Cabul, em Teerã e Istambul. Eles irão ajudá-los. E você precisa levar isso aqui também.

A vovó tirou o colar do pescoço e os anéis dos dedos.

— Leve isso aqui, e eu também vou lhe dar as joias que venho guardando esse tempo todo. Venda tudo em Cabul, e eles vão ajudá-la a comprar a sua liberdade. Vão levar vocês embora de todo esse medo e essa ignorância. São o medo e a ignorância que matam os corações das pessoas, que as tornam cruéis. Leve o burro do papai também. É o que ele gostaria que vocês fizessem. Você pode vendê-lo quando não precisar mais dele. Não discuta comigo. Pegue tudo, o envelope, o dinheiro, as joias e o meu amado neto e vá embora. E se Deus quiser vocês chegarão à Inglaterra a salvo.

No fim, vovó conseguiu convencer a mamãe de que nós devíamos ao menos falar com o tio Mir por telefone. Assim, quando estivemos na cidade da próxima vez, quando fomos ao mercado, ligamos de um telefone público. A mamãe me deixou conversar com ele depois dela. Lembro que o tio Mir parecia estar muito perto do meu ouvido. Ele conversou comigo num tom muito amistoso, como se me conhecesse toda a minha vida. Melhor ainda, ele me contou que torcia para o Manchester United, que era o meu time. E que ele tinha até visto o David Beckham e o meu maior herói, Ryan Giggs, também! Ele disse que me levaria a um jogo e que nós poderíamos ficar com ele e Mina enquanto precisássemos, até encontrarmos uma casa só para nós. Depois que conversei com ele, fiquei muito empolgado. Tudo o que eu queria fazer era ir para a Inglaterra, imediatamente.

Depois do telefonema, a mamãe parou para comprar farinha no mercado e seguiu em frente. Quando me virei depois de um tempo, para ver se ela já estava vindo, vi um dos comerciantes gritando com ela e gesticulando muito bravo. Pensei que fosse uma discussão sobre dinheiro, que talvez ela não tivesse trocado suficiente. Sempre faziam isso no mercado.

Mas não era isso.

Ela se aproximou de mim e me apressou para longe. Pude ver o medo em seus olhos.

— Não olhe para trás, Aman — ela disse. — Eu conheço esse homem. Ele é talibã. É muito perigoso.

— Talibã? — perguntei. — Eles ainda estão aqui? — Eu achava que os talibãs haviam sido derrotados há muito tempo pelos americanos e se escondido nas montanhas. Não podia entender o que ela estava dizendo.

— Os talibãs ainda estão aqui, Aman — ela disse, e então não pôde mais segurar o choro. — Eles estão por todo lugar, na polícia, no exército, como lobos em pele de cordeiro. Todo mundo sabe quem eles são, e todos têm medo demais para falar. Aquele homem no mercado foi um dos que entrou na caverna para levar seu pai embora e matá-lo.

Eu me virei para olhar. Queria voltar correndo e dizer cara a cara que ele era um assassino. Queria olhar em seus olhos e acusá-lo. Queria mostrar que não estava com medo.

— Não olhe — disse a mamãe, me arrastando com ela. — Não faça nada, Aman, por favor. Você só vai piorar as coisas.

Ela esperou até estarmos seguros fora da cidade para me contar mais.

— Ele estava me roubando no mercado — ela disse. — Quando reclamei, ele me disse que se eu não deixar o vale, vai avisar o irmão, que vai me botar na prisão de novo. E eu conheço o irmão dele muito bem. Foi o policial que me botou na prisão da outra vez. Foi ele que bateu em mim, que me torturou. Não foi por causa da maçã que você roubou, Aman. Foi para que eu não contasse a ninguém sobre o que o irmão dele havia feito ao seu pai, para que eu não dissesse que ele é do Talibã. O que eu posso fazer? Não posso deixar a vovó. Ela não consegue se cuidar sozinha. O que eu vou fazer? — Segurei sua mão tentando tranquilizá-la, mas ela chorou todo o caminho até em casa. Eu dizia que tudo ficaria bem, que eu cuidaria dela.

Naquela noite, ouvi a mamãe e a vovó cochichando uma com a outra na caverna, e chorando juntas também. Quando finalmente caíram no sono, a cachorra entrou na caverna e se deitou ao meu lado. Enterrei o rosto em seu pelo e a apertei com força.

— Vai ficar tudo bem, não vai? — eu disse a ela.

Mas eu sabia que não ia ficar tudo bem. Sabia que alguma coisa terrível iria acontecer. Eu sentia isso.

“Cabeça Erguida, Aman.”

Aman

Bem cedo no dia seguinte a polícia foi até a caverna. Como mamãe tinha ido até o riacho para buscar água, eu estava sozinho com a vovó quando eles chegaram em três. O vendedor do mercado estava com eles. Disseram que haviam ido fazer uma busca.

Quando a vovó se levantou com muito esforço e tentou impedi-los, eles a empurraram, e ela caiu.

Então viraram para mim e começaram a bater em mim e me chutar. Foi quando vi a cachorra entrar saltando na caverna. Ela não hesitou. Pulou em cima deles latindo e rosnando. Mas eles a atacaram com chutes e cassetetes e a expulsaram.

Depois disso, eles pareciam ter se esquecido de mim e simplesmente saíram quebrando tudo o que podiam dentro da caverna. Chutaram nossas coisas por toda parte, pisaram na nossa panela e um deles fez xixi no colchão antes de irem embora.

No começo eu não me dei conta de como a vovó tinha ficado ferida, não até virá-la de barriga para cima. Ela estava com os olhos fechados. Estava inconsciente. Deve ter batido a cabeça quando caiu. Havia um corte enorme em sua testa. Eu fiquei limpando o sangue e tentando acordá-la, mas o sangue não parava de sair e ela não abria os olhos.

Quando a mamãe voltou um pouco mais tarde, ela fez tudo o que pode para reanimá-la, mas não adiantou. A vovó morreu naquela noite. Às vezes, eu acho que ela morreu porque simplesmente não queria acordar, porque sabia que era a única maneira de fazer com que a mamãe e eu fôssemos embora, a única maneira de nos soltar. Então eu acho que talvez a vovó tenha ganhado a discussão com a mamãe do seu próprio jeito, do único jeito que ela podia ganhar.

Fomos embora de Bamiyan no dia seguinte, o dia em que a vovó foi enterrada. Fizemos como a vovó havia dito. Levamos o burro do papai conosco para levar os nossos poucos pertences, os itens de cozinha, os cobertores e o colchão — com as joias da vovó e o dinheiro do tio Mir escondidos dentro dele. Levamos um pouco de pão e algumas maçãs, presentes dos amigos para a nossa viagem, e saímos do vale a pé. Tentei não olhar para trás, mas olhei. Não consegui evitar.

Acho que por causa de tudo o que havia acontecido, eu quase tinha me esquecido da cachorra, o que não parece nem um pouco justo, pensando bem. Afinal, no dia anterior, ela havia tentado salvar a minha vida na caverna. Enfim, ela simples-

mente apareceu, de repente, do nada. Ela estava lá, andando ao nosso lado por um tempo, então correndo um pouco à frente, como se estivesse nos

guiando, como se soubesse onde estava indo. De vez em quando, ela parava e começava a farejar o chão atentamente e então se virava para olhar para nós. Não sei se era para conferir se estávamos indo ou para dizer que estava tudo certo, que aquela era a estrada que levava a Cabul, que tudo o que precisávamos fazer era segui-la.

A mamãe e eu nos revezávamos para montar o burro. Não conversamos muito. Estávamos os dois muito tristes, pela morte da vovó, por ir embora, e estávamos cansados demais também. Mas o começo da nossa jornada estava indo bem. Tínhamos bastante comida e água. O burro seguia lentamente, e a cachorra ia conosco, ainda andando à nossa frente, com o focinho colado no chão e abanando o rabo loucamente.

A mamãe disse que levaríamos muitos dias caminhando até chegar a Cabul, mas conseguimos encontrar algum abrigo todas as noites. O povo do campo do Afeganistão não tem muita coisa, mas o que tem, compartilha.

Ao final de cada dia de caminhada, estávamos sempre muito cansados. Eu não estava exatamente feliz. Não podia estar. Mas estava empolgado. Sabia que estava vivendo a maior aventura da minha vida. Eu ia ver o mundo além das montanhas, como o tio Mir.

Eu ia para a Inglaterra.

Conforme nos aproximávamos de Cabul, a estrada foi ficando mais movimentada, com caminhões de carga, caminhões do exército e carroças. Como o burro ficava nervoso com o trânsito, a mamãe e eu seguimos caminhando. Então vimos à nossa frente uma barreira policial. Percebi imediatamente que a mamãe estava apavorada. Ela pegou a minha mão, agarrou e não soltou mais. Ficava me dizendo para não ficar assustado, que tudo ficaria bem, se Deus quisesse. Mas eu sabia que ela estava dizendo isso a si mesma, mais do que a mim.

Quando chegamos à barreira, a polícia começou a gritar com a cachorra e a xingá-la, atirando pedras. Uma das pedras a atingiu, e ela saiu correndo, ganindo de dor. Isso me deixou bravo, bravo o bastante para ser corajoso. Quando vi, estava xingando de volta, dizendo exatamente o que pensava deles, o que todo mundo pensava da polícia. Daí todos se reuniram ao nosso redor, como abelhas furiosas, gritando conosco e nos chamando de cachorros hazaras imundos, nos ameaçando com seus rifles.

Então — e eu não pude acreditar nisso no começo — a cachorra voltou. Ela era muito corajosa. Simplesmente os atacou, rosnando e latindo, e conseguiu morder um deles na perna antes de levar um chute. Daí, começaram a atirar em sua direção. Desta vez, quando fugiu, ela não voltou. Depois disso, nos levaram para trás da barraca deles, nos empurraram contra a parede e pediram nossas identidades. Eu achei que iam atirar em nós, de tão furiosos que estavam.

Disseram à mamãe que nossos documentos eram como nós, não prestavam, e que nós não poderíamos tê-los de volta, a menos que lhes déssemos o nosso dinheiro. A mamãe disse que não, então eles nos revistaram com violência e desrespeitosamente. Não encontraram nada, é claro.

Mas daí revistaram o colchão.

Abriram-no e encontraram o dinheiro e as joias da vovó. Os policiais dividiram o dinheiro do tio Mir e as joias ali mesmo, diante dos nossos olhos. Pegaram toda a comida que ainda tínhamos e até mesmo a nossa água.

Um deles, acho que o encarregado da operação, me devolveu o envelope vazio e os nossos documentos. Então, com um sorriso sarcástico em seu rosto horrível, pôs duas moedas na minha mão.

— Está vendo como sonos generosos? — ele disse. — Mesmo vocês sendo hazaras, não poderíamos deixá-los morrer de fome, não é?

Antes de irmos embora, eles resolveram pegar o burro do papai também. Tudo o que tínhamos no mundo quando nos afastamos daquela barreira policial, ouvindo a risada e as gozações deles, eram duas moedas e as roupas do corpo. A mão da mamãe agarrou a minha com força.

— Cabeça erguida, Aman. Não baixe a cabeça — ela disse. — Nós somos hazaras. Não vamos chorar. Não vamos deixá-los nos ver chorar. Deus vai cuidar de nós.

Seguramos as lágrimas. Fiquei orgulhoso dela por aquela atitude e fiquei orgulhoso de mim mesmo também.

Mais ou menos uma hora depois, nós nos sentamos à margem da estrada. Agora não tinha ninguém olhando, e a mamãe estava se rendendo às lágrimas. Ela estava chorando e se lamentando, com o rosto nas mãos. Parecia ter perdido toda coragem, toda esperança. Acho que eu estava bravo demais para chorar. Lembro de estar cuidando de uma bolha no calcanhar quando levantei o olhar e vi a cachorra correndo na nossa direção, vinda do deserto. Ela ficou pulando ao meu redor, e depois ao redor da mamãe, balançando-se toda.

Para minha surpresa, a mamãe não pareceu se importar nem um pouco. Na verdade, começou a rir no meio das lágrimas.

— Pelo menos — disse a mamãe — temos uma amiga neste mundo. É muito corajosa esta cachorrinha. Eu estava errada em relação a ela. Acho que esta cachorra não é como os outros cachorros. Ela pode ser uma estranha, mas nós devemos recebê-la e cuidar dela. Pode ser um cão, mas acho que é mais uma amiga do que uma cachorra, como uma sombra amiga que não quer nos deixar. A gente nunca perde a nossa sombra.

— Então vamos chamá-la assim — eu disse. — Sombra. Vamos chamá-la de Sombra.

A cachorra pareceu satisfeita com isso quando olhou para mim. Estava sorrindo. Estava sorrindo de verdade. Logo, estava saltitando à nossa frente, farejando estrada adiante, fazendo com que a seguíssemos, abanando o rabo.

Era estranho. Havíamos acabado de perder tudo o que tínhamos no mundo, em apenas alguns minutos antes tudo parecia completamente perdido, mas agora aquele seu rabo agitado nos dava uma nova esperança. Eu pude ver que a mamãe estava se sentindo da mesma maneira. Naquele momento eu soube que de alguma forma nós iríamos dar um jeito de chegar à Inglaterra. A Sombra ia nos levar para lá. Eu não fazia ideia como. Mas, juntos, nós iríamos conseguir. De alguma maneira, de alguma maneira.

De Alguma Maneira, de Alguma Maneira.

Aman

Ficamos sentados lá por um bom tempo, até escurecer. Tínhamos apenas as estrelas como companhia. Cada caminhão que passava nos cobria de poeira, mas acabamos conseguindo uma carona na traseira de uma caminhonete cheia de melões, centenas deles.

Estávamos com tanta fome àquela altura, que comemos vários deles, atirando as cascas na estreada

para que o motorista não descobrisse. Então caímos no sono. Não era confortável, mas nós estávamos cansados demais para nos importar com isso. Amanheceu antes de chegarmos a Cabul.

A mamãe nunca havia estado em Cabul na vida, e eu também não. Estávamos depositando todas as nossas esperanças nos telefones de contato que o tio Mir havia anotado atrás daquele envelope.

Como o primeiro da lista era em Cabul, a primeira coisa que tínhamos de fazer era procurar por um telefone público. O motorista nos deixou no mercado. Era a primeira vez na vida que eu estava numa cidade. Havia muita gente, muitas ruas, lojas e prédios, muitos carros, caminhões, carroças e bicicletas, além de policiais e soldados por todo lado. Todos carregavam rifles, mas não havia nada de novo ou assustador nisso. Todo mundo em Bamiyan também carregava rifles. Acho que praticamente todo homem tem um rifle no Afeganistão. Foi dos olhos deles que fiquei com medo. Cada policial ou soldado parecia estar olhando diretamente para nós, e apenas para nós, quando passávamos.

Mas então percebi que não era em nós que eles estavam tão interessados. Era na Sombra. Ela estava se espreitando ao nosso lado, muito mais perto do que de costume, tocando o focinho na minha perna de vez em quando. Dava para ver que ela não estava gostando de todo o barulho e a agitação do lugar tanto quanto nós.

Levamos um tempo para encontrar um telefone público. A mamãe conseguiu acertar um encontro com o contato do tio Mir, e inicialmente ele foi muito acolhedor. Ele nos deu uma refeição quente, e eu pensei que tudo ia ficar bem. Mas, quando a mamãe contou que tínhamos perdido todo o dinheiro que o tio Mir havia nos mandado para irmos para a Inglaterra, que havíamos sido roubados, ele subitamente deixou de ser amigável.

A mamãe implorou que ele nos ajudasse. Disse que não tínhamos aonde ir, onde passar a noite. Foi quando comecei a perceber que, assim como os policiais e os soldados na rua, ele também parecia mais interessado na Sombra do que em nós. Então concordou em nos emprestar um quarto, mas apenas por aquela noite. Era um quarto vazio com apenas uma cama e um tapete, mas depois de viver toda a vida dentro de uma caverna, aquele quarto era como um palácio para mim.

Tudo o que queríamos era dormir, mas o homem não saía de perto e não nos deixava sozinhos. Não parava de fazer perguntas sobre a Sombra, sobre onde a havíamos pegado, sobre a raça dela.

— Acho que esta cachorra parece estrangeira — ele disse. — Ela morde? É um bom cão de guarda.

Quanto mais eu ficava com aquele homem, menos confiava nele. A Sombra não gostava muito dele também, e mantinha distância. Ele tinha olhos espertos e uma aparência de mau e traiçoeiro. Foi por isso que respondi:

— Sim, ela morde. E se alguém nos ataca, ela enlouquece, como um lobo.

— Uma boa lutadora, então? — ele perguntou.

— A melhor — respondi. — Depois que morde, não larga mais.

— Que bom. Isso é muito bom — ele disse. Pensou por alguns instantes, sem tirar os olhos de Sombra. — Olhem só, tenho uma proposta — ele continuou. —Vocês me dão a cachorra, e eu acerto tudo para vocês. Dou dinheiro suficiente para vocês chegarem até a fronteira com o Irã e depois até a Turquia. Vocês não precisarão se preocupar com nada. Que tal?

Foi a mamãe que entendeu imediatamente o que ele estava planejando.

— Você a quer para rinha, não é? — ela perguntou.

— É isso mesmo — ele disse a ela. — Ela é meio pequena, e um bom cachorro de briga afegão é capaz de deixar um cachorro como ela em pedacinhos. Mas, desde que ela brigue bem, é o que importa. Não é apenas uma questão de tamanho. É o espetáculo que as pessoas vêm ver. Negócio fechado?

— Não, nada disso. Nós não vamos vendê-la, não é Aman? — Mamãe respondeu se agachando para abraçar Sombra. — Por nada. Ela ficou do nosso lado, e nós vamos ficar do lado dela.

Foi quando o homem estourou e começou a berrar conosco.

— Quem vocês pensam que são? Vocês hazaras são todos iguais, cheios de si. É melhor pensarem bem. Se não me venderem essa cachorra, vão ver só! Voltarei de manhã.

Ele bateu a porta ao sair do quarto e ouvimos a chave girando na fechadura. Quando tentei abri-la logo depois, não consegui. Éramos prisioneiros.

Contando as Estrelas

Aman

A janela era alta, mas a mamãe pensou que se virássemos a cama de lado e subíssemos nela talvez conseguíssemos sair. E foi o que fizemos. Era uma janela pequena e havia uma grande queda do outro lado, mas não tínhamos escolha, precisávamos tentar. Era a nossa única esperança.

Eu fui primeiro, e a mamãe passou a Sombra para mim. Soltei a Sombra no chão, vi que ela aterrissou em segurança e saltei em seguida. Foi mais difícil para a mamãe, que demorou um pouco, mas no fim ela conseguiu se espremer pela janela e pular até o chão.

Estávamos num beco, sem ninguém por perto. Eu queria correr, mas a mamãe disse que isso chamaria atenção. Então saímos caminhando do beco e nos misturamos às multidões das ruas de Cabul.

Com muita gente ao nosso redor, achei que estávamos a salvo, mas a mamãe disse que era melhor sairmos de Cabul, para o mais longe possível daquele homem. Como não tínhamos dinheiro para comprar comida ou para pegarmos um ônibus, começamos a caminhar, com Sombra guiando o caminho. Simplesmente a seguimos pelas ruas da cidade, costurando o caminho em meio ao tumulto de pedestres e trânsito, exaustos demais para nos importar com onde ela estava nos levando. Norte, sul, leste ou oeste, isso realmente não nos importava. Estávamos deixando o perigo para trás, e era tudo o que importava.

Quando escureceu, já estávamos fora da cidade. As estrelas e a lua brilhavam acima das montanhas, mas a noite estava fria, e sabíamos que precisaríamos encontrar um abrigo logo.

Estávamos tentando pegar uma carona havia horas, mas ninguém parava. Então demos sorte. Havia um caminhão estacionado mais à frente, no acostamento da estrada. Bati na janela da boleia e perguntei ao motorista se ele nos daria uma carona. Ele perguntou de onde vínhamos. Quando contei que éramos de Bamiyan e estávamos indo para a Inglaterra, ele riu e nos disse que ele era de uma cidade no vale e que era hazara, como nós. Ele não estava indo até a Inglaterra, apenas para Kandahar, e nos levaria com prazer se fosse de alguma ajuda. A mamãe disse que iríamos aonde quer que ele fosse, que estávamos com fome e cansados, e apenas precisávamos descansar.

Ele acabou se revelando o homem mais gentil que poderíamos querer encontrar, nos deu água e dividiu sua comida conosco. No calor aconchegante de sua boleia, logo espantamos o frio. Fez algumas perguntas, principalmente sobre a Sombra. Disse que só tinha visto um cachorro estrangeiro como aquele uma vez antes, com os soldados americanos ou britânicos, não sabia ao certo.

— Eles usam cachorros assim para encontrar as bombas de beira de estrada, para farejá-las — ele disse, sacudindo a cabeça tristemente. — Esses soldados, os soldados estrangeiros, são todos muito parecidos com aqueles capacetes. E alguns são tão jovens. A maioria não passa de meninos, longe de casa e jovens demais para morrer. — Depois disso, ele parou de falar e começou a cantarolar a música que estava tocando no rádio. Caímos no sono sem percebermos.

Não sei quantas horas mais tarde o motorista nos acordou.

— Kandahar — ele disse. Apontou o caminho que levava à fronteira iraniana em seu mapa. — Sul e Oeste. Mas vocês vão precisar de documentos para atravessar a fronteira. Os iranianos são muito rígidos. Vocês têm documentos? Não têm, não é? Dinheiro?"

— Não — mamãe respondeu.

— Com documentos eu não tenho como ajudá-los — disse o motorista. — Mas tenho um pouco de dinheiro. Não é muito, mas vocês são hazaras, são como família, e precisam mais do que eu.

A mamãe não queria pegar o dinheiro, mas ele insistiu. Assim, graças a esse estranho, nós podíamos pelo menos comer e encontrar um lugar onde ficar enquanto pensávamos o que fazer e aonde ir a seguir. Não sei quanto dinheiro o motorista nos deu, mas sei que depois que a mamãe pagou pela refeição e pelo quarto em que passaríamos a noite, sobrou muito pouco, apenas o bastante para comprar a nossa passagem para fora da cidade na manhã seguinte. Só que no fim isso não nos levou muito longe.

O ônibus em que havíamos embarcado, que deveria nos levar até a fronteira, quebrou no meio do campo. Mas era um campo muito diferente daquele do suave vale de Bamiyan com que eu estava acostumado. Não havia pomares ou plantações, apenas deserto e pedras até onde a vista alcançava, tão quente e empoeirado durante o dia, que mal dava para respirar. E frio à noite. Às vezes frio demais para dormir.

Mas sempre havia as estrelas. O papai costumava dizer que bastava tentar contar as estrelas para acabarmos caindo no sono. Na maior parte das noites, era verdade. Noite ou dia, estávamos sempre com sede, sempre com fome. E a bolha no meu calcanhar estava ficando cada vez pior, doendo cada vez mais.

Depois de caminharmos por muitos dias — não sei quantos —, chegamos afinal a uma pequena cidade onde bebemos água do poço e descansamos um pouco enquanto a mamãe lavava o meu pé. As pessoas da cidade ficaram paradas nas portas de suas casas nos olhando com cautela, quase como se fôssemos de outro planeta.

Quando a mamãe perguntou o caminho para a fronteira, eles deram de ombros e nos deram as costas. Mais uma vez, foi Sombra quem pareceu despertar o interesse deles, não nós, e ela estava fazendo o que sempre fazia, correndo e explorando tudo com o focinho. Quando fomos embora, vi que algumas das crianças estavam nos seguindo, nos observando a distância. Logo na saída da cidade vimos uma encruzilhada à nossa frente.

— E agora? — perguntei à mamãe. — Por onde vamos?

Foi quando notei que Sombra havia parado de repente. Ela estava imóvel na encruzilhada, com a cabeça para baixo, olhando fixamente para o chão no acostamento da estrada. Chamei, mas ela nem sequer se virou. Soube imediatamente que alguma coisa estava errada.

Olhei para trás. As crianças da cidade haviam parado também, e uma ou duas delas estavam apontando, não para Sombra, mas para alguma coisa mais além, mais adiante na estrada.

Então vi o que elas haviam visto: soldados estrangeiros, vários deles, aproximando-se lentamente de nós. O da frente tinha um detector — que eu já havia visto uma vez em Bamiyan —, e eu sabia para que eles serviam. Ele estava examinando a estrada em busca de bombas. Acho que só então consegui somar dois mais dois e me dei conta do que Sombra estava fazendo. Ela havia descoberto uma bomba. Estava apontando para ela. Estava nos mostrando. E eu sabia de alguma maneira que estava mostrando para os soldados também.

Mas eles ainda não conseguiam vê-la. Ela estava escondida deles por uma pedra no acostamento da estrada. Então eu simplesmente corri. Nem sequer pensei no que estava fazendo. Simplesmente corri na direção dos soldados, na direção da Sombra, na direção da bomba.

Polly

Aman

Eu estava correndo e acenando para os soldados para alertá-los, berrando que havia uma bomba, apontando para onde ela estava, para onde Sombra estava.

A esta altura, todos os soldados haviam parado e estavam abaixados, apontando as armas para mim.

Naquele instante, o mundo todo parecia estar imóvel. Lembro de um dos soldados se levantar e gritar para que eu parasse onde estava. É claro que eu não entendia inglês na época, mas ele estava deixando bem claro o que queria que eu fizesse. Estava me dizendo para recuar, e rapidamente.

Então eu recuei.

Recuei até encontrar os braços da mamãe ao meu redor, me abraçando. Ela estava soluçando de terror, e foi só então que eu mesmo comecei a sentir medo, a me dar conta do enorme perigo que estávamos correndo.

O soldado agora estava caminhando na direção de Sombra, gritando a mesma palavra sem parar, mas não para nós, para Sombra.

— Polly? Polly? Polly?

Sombra se virou, olhou para ele, abanou o rabo apenas uma vez e então voltou à posição de estátua, com a cabeça abaixada, apontando o focinho. Sombra nunca abanava o rabo a qualquer pessoa que não fosse um amigo. Ela conhecia aquele soldado, e ele a conhecia.

Eram velhos amigos. Tinham de ser.

Mas como podiam ser amigos? Eu não conseguia entender nada. Foi um momento esquisito. Eu

sabia que a bomba poderia explodir a qualquer momento, mas tudo em que podia pensar era em como aquele soldado e Sombra poderiam se conhecer.

O soldado ainda estava gritando para que nos afastássemos mais e acenando para que nos abaixássemos. A mamãe ficava me puxando para trás o tempo todo, quase me arrastando, até eu me ver deitado com ela no fundo de uma vala. Ela estava com o braço apertado ao meu redor e a mão na minha cabeça, me segurando abaixado.

— Não se mexa, Aman — ela sussurrou no meu ouvido. — Não se mexa. — Durante todo o tempo em que estivemos ali, ela não parou de rezar um instante.

Não sei por quanto tempo ficamos deitados naquela vala, só sei que estava muito molhado e que meu pé estava latejando de dor. O tempo todo eu queria me ajoelhar para ver o que estava acontecendo, mas a mamãe não deixava.

Podíamos ouvir os soldados conversando, mas não fazíamos ideia do que estava acontecendo até ouvirmos passos vindo pela estrada em nossa direção. Olhamos para cima e vimos dois soldados acima de nós, um deles estrangeiro, outro num uniforme afegão. Sombra estava lá também, arfando muito e parecendo muito orgulhosa de si mesma. Os dois soldados nos ajudaram a sair da vala, e Sombra saltou sobre nós, nos saudando como se não nos visse havia um mês.

— Está tudo bem — disse o soldado afegão. — A bomba não é mais um perigo. — Ele falou em pashto, mas logo repetiu em dari. Parece que soube quase de imediato que éramos hazaras e que falávamos dari.

O soldado estrangeiro apertou a mão da mamãe e depois a minha, o tempo todo falando com muita excitação, enquanto o soldado afegão fazia o trabalho de intérprete.

— Este é o sargento Brodie, do exército britânico. Ele está dizendo que você foi muito corajoso ao fazer o que fez... que deve ter salvado muitas vidas hoje e que ele quer agradecer. E também quer dizer outra coisa sobre a cachorra. Ele não acreditou nos próprios olhos quando viu esta cachorra, nenhum de nós acreditou. Ele soube imediatamente que era Polly. Todos soubemos. Eu também. Não há no mundo outro cachorro como a Polly. Ele está dizendo que a Polly sempre ficava assim emocionada quando descobria uma bomba. É porque sabe que fez bem o seu trabalho, e isso a deixa muito feliz. Mas o sargento Brodie quer saber por que ela parece conhecer vocês tão bem.

— É claro que ela me conhece — eu disse a eles. — Ela é a nossa cachorra, não é?

Eles se entreolharam, parecendo não entender o que eu estava lhes dizendo.

— Sua cachorra? — O soldado britânico perguntou, através do intérprete mais uma vez. — Eu ainda estou tentando entender esta história. Quer dizer, há quanto tempo ela está com vocês? Onde vocês a encontraram?

— Em Bamiyan — respondi. — Ela chegou à nossa casa. Faz alguns meses, talvez quase um ano.

— *Bamiyan*? — O intérprete estava espantado. Os dois estavam. — O sargento Brodie diz que isso é impossível — disse o soldado afegão. — Bamiyan fica a centenas de quilômetros de distância, no norte. Tudo isso é impossível.

Enquanto o intérprete estava falando, o soldado pareceu de repente começar a olhar ao redor com nervosismo.

— O sargento Brodie diz que não podemos ficar aqui conversando — prosseguiu o intérprete. — O Talibã pode estar nos observando. Eles têm olhos por toda parte. Já nos emboscaram nesta estrada antes. Mas ele precisa saber mais sobre tudo isso, sobre vocês e Polly. Precisamos ir para a cidade — ele disse. — Estaremos mais seguros lá.

Assim, com o sargento Brodie segurando a minha mão, os soldados atrás de nós e Sombra correndo à nossa frente, mostrando o caminho como sempre, voltamos a pé para a cidade, com as crianças locais ao nosso redor.

“Um Herói e Tanto”

Aman

E foi assim que nos vimos alguns minutos mais tarde sentados dentro de uma casa da cidade, usando roupas secas, que os moradores locais haviam encontrado para a mamãe e eu, e tomando chá, com a sala cheia de gente, moradores da cidade e soldados, o intérprete e o sargento Brodie. Todos ouviram atentamente enquanto eu contava como Sombra havia entrado em nossa caverna todos aqueles meses antes, há mais de um ano, e quando chegou estava com uma pata machucada e morrendo de fome, mas melhorou e agora nós estávamos a caminho da Inglaterra para morar em Manchester, com o nosso tio Mir, que já havia apertado a mão de Ryan Giggs.

Os soldados riram quando eu disse isso. Acontece que alguns eram torcedores do Manchester United, e Ryan Giggs era ídolo deles também. Então eu soube que estava entre amigos.

Durante todo esse tempo, Sombra ficou ao meu lado, com a cabeça pousada nos meus pés, olhando para todos na sala.

Quando terminei a história, o sargento Brodie foi o primeiro a falar. Mais uma vez, falou por meio do intérprete.

— O sargento disse que tem algo a dizer sobre esta cachorra — ele começou. O intérprete falava dari com um sotaque com que eu não estava acostumado, mas a mamãe e eu entendemos o bastante. — Ele está dizendo que vocês vão achar difícil de acreditar. Ele mesmo acha difícil acreditar, mas é realmente verdade. Ele perguntou a todos os soldados que estavam aqui há mais ou menos um ano, e todos concordam. Não restam dúvidas. Todos nós conhecemos esta cachorra. Essa cachorra se chama Polly e ela farejou mais bombas em estradas — que o exército chama de dispositivos explosivos improvisados — do que qualquer outro cachorro de todo o exército. Setenta e cinco. Hoje foi a de número 76. E o sargento diz que ela desapareceu há cerca de 14 meses. Ele estava aqui quando isso aconteceu. E eu também.

— Nós estávamos fazendo a patrulha, exatamente como hoje. O sargento Brodie também estava conosco naquele dia. Ele era o tratador da Polly. Ela morava com a família dele na Inglaterra. Foi o sargento que a treinou, era ele quem cuidava dela e vivia com ela na base. Diz que é o melhor cão farejador que ele já conheceu. Todos dizem isso. Enfim, lá estávamos na patrulha, com o sargento Brodie e a Polly indo à frente, examinando a estrada em busca de bombas, como sempre. Quando víamos que Polly havia farejado alguma coisa, todos parávamos. E foi aí que o Talibã nos pegou numa emboscada.

"O tiroteio que se seguiu durou mais de uma hora. Quando terminou, descobrimos que tínhamos um homem ferido, o cabo Banford, e que a Polly não estava por perto. Não estava em lugar algum. Havia desaparecido. Chamamos por ela várias vezes, mas não podíamos sair procurando. Era perigoso demais."

"Chamamos um helicóptero para buscar o cabo Banford e levá-lo a um hospital o mais rápido possível. Infelizmente, não conseguimos ser rápidos o bastante. Ele morreu a caminho do hospital. Voltamos para procurar a Polly no dia seguinte, e informamos a todas as patrulhas para que ficassem de olho caso ela aparecesse. Mas ninguém nunca mais a viu. Então, todos pensamos que ela havia morrido. Perdemos dois soldados naquele dia. Era como pensávamos nela, como um de nós."

O intérprete teve de esperar alguns instantes até o sargento recomeçar.

— O sargento Brodie está dizendo — ele prosseguiu — que os talibãs matam nossos cães farejadores quando podem. Eles sabem o quanto esses animais são valiosos para nós, quantas vidas de soldados eles salvam. Foi o que achamos que havia acontecido com ela. Foi o que todo mundo pensou. Montamos um pequeno memorial para ela na base. Então, saímos aqui hoje, 14 meses depois, e lá estava você acenando para nos alertar, e lá estava ela, farejando uma bomba exatamente como estava quando nós a vimos pela última vez. Foi incrível. E se eu entendi direito, essa cachorrinha caminhou centenas de quilômetros para o norte antes de encontrar você em Bamiyan, e depois centenas de quilômetros de volta. Eu sei que parece uma bobagem, mas acho que ela sabia onde estava indo. Ela precisava encontrar alguém para cuidar dela, e esse alguém foi você. Depois, sabia que precisava voltar para casa, para o lugar dela. De alguma maneira, ela devia saber o caminho de casa, assim como uma andorinha.

Quando ele falou esta última parte sobre Sombra saber o caminho de casa, eu tive certeza de que ele tinha razão. Onde quer que estivéssemos desde que saímos de Bamiyan, Sombra sempre sabia o caminho a seguir. Fomos nós, a mamãe e eu, quem a seguimos, e não o contrário. E muitas outras coisas começaram a fazer sentido, como o fato de Sombra estar sempre correndo à nossa frente, com o focinho colado no chão, farejando a estrada. Era isso que ela havia sido treinada a fazer. Ela era um cão farejador do exército, exatamente como aquele motorista do caminhão havia nos dito.

— Acredite, quando ficarem sabendo disso na base — o intérprete disse —, o sargento diz que você será um herói e tanto para os nossos homens. Afinal de contas, foi você quem nos alertou sobre a bomba. E foi você quem resgatou Polly, cuidou dela e a trouxe de volta para nós. Eles vão ficar "nas nuvens", como dizem em inglês, assim como a filha dele na Inglaterra. Ela amava essa cachorrinha completamente. A família toda a amava, o próprio sargento mais do que todos. Sim, você vai ser um herói e tanto.

Prateada, Como uma Estrela

Aman

Quando saímos andando de novo, o sargento Brodie viu que eu estava mancando, e a mamãe contou a ele através do intérprete sobre o meu pé machucado. Então eu ganhei uma carona nas costas do sargento Brodie durante todo o caminho até a base. Ninguém havia feito isso comigo desde a morte do papai. Foi muito bom.

E o sargento estava certo. Na base, todos realmente fizeram uma grande festa para mim, para todos nós, principalmente para a Sombra. Nada era problema. Dormimos em camas quentes, comemos tudo o que queríamos, tomávamos banho sempre que queríamos. E também havia uma médica que cuidou da minha bolha. Ela disse que estava infeccionada, que eu precisaria ficar na base por um tempo e não caminhar, não enquanto o pé não estivesse totalmente curado. Eles até deixaram a mamãe ligar para o tio Mir na Inglaterra.

Então mamãe, Sombra e eu ficamos na base. Acho que por quase uma semana. Eles deram um quarto só para nós, e a mamãe dormiu um monte. Quando meu pé melhorou, eu jogava futebol com os soldados.

Foi quando conheci o Banco Imobiliário também. Foi o sargento Brodie que me ensinou a jogar. Eu aprendi a dizer as minhas primeiras palavras em inglês, e ele aprendeu um pouco de dari também. Sargento Brodie, eu e Sombra passávamos muito tempo juntos quando ele não estava ocupado ou fazendo a patrulha. Como todos os outros soldados, ele ficava tirando fotos da Sombra comigo para mandar para casa pelo telefone.

Uma vez, ele me mostrou um vídeo ao vivo da filha e da mulher dele feito com o telefone. Elas estavam acenando para mim da Inglaterra e gritando obrigadas por ter salvado a Polly. Eu deveria estar feliz, mas não estava. Havia alguma coisa me incomodando. E dava para ver que estava incomodando a Sombra também.

A essa altura eu sabia que teríamos de ir embora logo, assim que meu pé estivesse curado, e de alguma forma ela parecia saber disso também. Com o passar dos dias, Sombra queria passar cada vez mais tempo conosco. Mas dava para ver que ela adorava estar entre os soldados também, principalmente com o sargento Brodie. Ele tinha inclusive guardado a bolinha preferida dela como lembrança, a bolinha com que ela sempre gostava de brincar. Os soldados atiravam a bola e ela saía correndo pelo terreno para trazê-la de volta, mas não os deixava pegar até ganhar algo em troca.

Mas ela nunca brincava com eles por muito tempo. Sempre voltava para se sentar perto de mim, e eu a pegava olhando para mim, e nós dois sabíamos o que estávamos pensando. Ela é a Polly? Ela é a Sombra? Ela iria conosco quando fôssemos embora?

Eu sabia a resposta. Ela sabia a resposta. Acho que nós dois ficávamos esperando que estivéssemos errados. Eu sentia que ela estava se tornando deles de novo, um cão do exército, a cachorra do sargento Brodie. Polly, não Sombra. Ela ainda dormia conosco em nosso quarto, frequentemente se deitando ao meu lado com a cabeça no meu pé. Eu ainda tinha esperança de que ela fosse embora conosco, mas no fundo já sabia que isso não aconteceria, que ela deveria ficar na base com os soldados, que ela estava de volta ao lado do sargento Brodie onde era seu lugar.

Ela sabia disso também, e estava tão triste quanto eu. E a mamãe também. Mais tarde, ela me disse que nunca teria imaginado que pudesse vir a gostar tanto de um cachorro.

Acho que todos os soldados viam a minha tristeza. Eles podiam estar exaustos na volta à base depois de uma patrulha, com seus rifles e capacetes, mas sempre tinham um sorriso para mim. A essa altura todos sabíamos por que estávamos viajando, do que estávamos fugindo, sobre como a mamãe havia sido tratada pela polícia e como a vovó havia morrido.

O sargento Brodie veio nos ver na noite antes de irmos embora, com o intérprete, que nos disse que os soldados haviam juntado algum dinheiro para nos ajudar em nosso caminho. Ele chamou de vaquinha. Acho que eu soube o que viria a seguir pela expressão triste no rosto dele, que disse tudo através do intérprete. Ele mal conseguia olhar para mim.

— Sobre a Polly. Eu sinto muito, Aman, mas ela precisa ficar aqui. Ela é um cão do exército. Talvez você possa ir vê-la de novo, quando chegar à Inglaterra, quero dizer. Que tal? — Percebi que ele estava apenas tentando diminuir o golpe. Será que conseguiríamos chegar à Inglaterra, sem a Sombra para nos guiar?

Chorei quando ele saiu. Não consegui segurar. A mamãe disse que era melhor, que ficaríamos bem sozinhos a partir de agora, se Deus quisesse. E, desta vez, ela disse, nós vamos cuidar do nosso dinheiro. Foi por isso que, com a Sombra ao meu lado na cama, eu passei a maior parte da noite passada na base escavando os saltos dos nossos sapatos, o melhor lugar que pensamos para esconder o dinheiro. Sombra ficou o tempo todo me observando. Ela sabia com certeza que aquelas seriam nossas últimas horas juntos.

Eu mal podia olhar para ela.

Quando partimos, na manhã seguinte, os soldados foram se despedir, assim como a Sombra. O sargento Brodie pediu três vivas, e quando acabou ele se aproximou para nos dizer adeus. Ele pôs alguma coisa na minha mão. O intérprete estava ao lado para ajudá-lo como sempre.

— É a insígnia do nosso regimento, Aman — ele me disse. — O sargento diz que você fez por

merecer. Diz que espera que vocês cheguem bem à Inglaterra e, quando chegarem, se precisarem de alguma ajuda, digam a ele. Ele estará lá. E se você quiser ver a Polly de novo, basta pedir. Você sempre pode entrar em contato com ele através do regimento. E ele pede para agradecer por trazer a Polly de volta para ele, por salvar as vidas de seus homens, que ele nunca irá esquecer o que você fez por nós, por todos os rapazes, pelo regimento.

Eu me agachei para me despedir pela última vez da Sombra, acariciei a cabeça dela e desarrumei suas orelhas. Mas não consegui dizer nada. Se eu falasse, sabia que iria chorar, e eu não queria fazer isso, não na frente dos soldados.

Enquanto eles nos levavam para fora da base, eu desejei que Sombra pulasse no carro e viesse conosco. Mas sabia que ela não faria isso. Ela não podia fazer.

Foi a última vez que a vi.

Eles nos levaram até a cidade mais próxima e nos embarcaram num ônibus. Fiquei sentado agarrado à minha insígnia. Olhei para ela pela primeira vez. Era prateada, como uma estrela, com o que parecia uma imagem de muros de um castelo gravada nela. E havia alguma coisa escrita abaixo que eu não sabia ler.

(Diz Royal Anglian. Eu ainda a tenho. Levo sempre comigo.)

Estávamos a caminho mais uma vez, a caminho da Inglaterra, do tio Mir e de Manchester. Sentado naquele ônibus, lembro que me esforcei para pensar em Ryan Giggs, para parar de me sentir tão triste por deixar a Sombra. Mas não funcionou. Então olhei para a minha estrela e a apertei com força. Isso fez com que eu me sentisse melhor. Desde então, aquela estrela prateada sempre faz com que eu me sinta melhor.

"A História Toda, Preciso da História Toda."

Vovô

Durante todo o tempo em que esteve contando sua história, Aman mal olhava para mim. Parecia que, enquanto contava, precisava reviver as lembranças sem qualquer tipo de distração. Ele falou tão baixinho, que poderia estar falando consigo mesmo, com a voz muitas vezes soando como pouco mais do que um sussurro. Por vezes eu tive de me inclinar para frente para ouvir o que ele estava dizendo. Mas, durante todo o tempo, falou com a voz firme, até sobre o último instante, o momento em que teve de deixar Sombra para trás. Pude perceber que naquele ponto da história ele estava lutando para dominar as lágrimas.

Quando se levantou repentinamente e saiu correndo do salão de visitas, tive certeza de que foi porque não queria que eu o visse chorando. Também me dei conta de que ele talvez não voltasse, que pudesse ser orgulhoso demais para me encarar de novo depois daquilo. Mas fiquei esperando de qualquer maneira, porque de alguma forma sentia que havia ao menos uma chance de ele voltar. Afinal, ele havia voltado da última vez, não havia?

Sentado sozinho à mesa eu desejei mais do que qualquer outra coisa que Matt pudesse estar comigo. Aman não teria saído correndo daquele jeito se o Matt estivesse ali. Eles eram amigos, melhores amigos. Matt teria conseguido tranquilizá-lo de alguma maneira.

Foi nesse momento, com a história de Aman ainda fresca na cabeça, que comecei a pensar seriamente se não haveria realmente alguma coisa que pudesse ser feita para ajudar a Aman e sua mãe — além de apenas visitá-los.

Quanto mais ficava sentado ali e pensava na pobreza da vida deles em Bamiyan, no sofrimento por que toda a família havia passado, na determinação em sair do Afeganistão e vir para a Inglaterra, mais detestava pensar neles presos como criminosos naquele lugar. Havia uma injustiça terrível acontecendo ali. A história de Aman havia despertado o jornalista que existe dentro de mim. Eu queria saber mais.

Eu queria saber tudo.

Quando Aman voltou alguns minutos depois, estava novamente na companhia da mãe. Eu não estava esperando por isso. Ainda havia tanta coisa que eu queria descobrir. Eu tinha esperanças de que, quando voltasse, ele conseguiria retomar a história de onde havia parado. Mas, como sabia que Aman era muito mais tímido e reservado com a mãe por perto, eu não estava acreditando nem um pouco que ele iria falar com a mesma facilidade e liberdade com que fizera um pouco antes. Pude ver que sua mãe estivera chorando e ainda estava muito agitada. Ela se balançava para frente e para trás, segurando um lenço nas mãos.

Então a mãe falou, mas apenas para Aman, e em sua própria língua. Quando terminou, ele traduziu:

— A mamãe disse que precisava vir ela própria dizer a você que não podemos voltar para o Afeganistão, que a polícia a torturaria de novo. Ela disse que os talibãs não foram derrotados, que eles estão em toda parte, na polícia, em qualquer lugar. Eles irão matá-la, como mataram o papai. Ela disse que já faz seis anos que moramos na Inglaterra. Que aqui é o nosso lar. Ela disse que o nosso advogado não pode mais nos ajudar, que o governo sequer nos deixa entrar com uma apelação. Ela rezou a Deus que você consiga nos ajudar. Ela sonhou que você vai nos ajudar, mas precisava vir pedir pessoalmente, implorar para tornar o sonho dela realidade.

Eu não sabia o que dizer, só que eu precisava dizer alguma coisa, e alguma coisa encorajadora, mas sem fazer quaisquer promessas que não pudesse cumprir.

— Diga que farei o melhor possível, e realmente farei — disse a ele. — Mas ela precisa compreender, e você também, que eu não sou advogado. Não sei ao certo o que posso fazer, o que qualquer um pode fazer. Mas sei que para eu poder fazer qualquer coisa que seja, preciso que você me conte toda a sua história, desde quando deixou Sombra para trás e entrou no ônibus naquele dia até agora, até hoje. Quero dizer, como vocês conseguiram fazer todo o caminho até a Inglaterra? Como vocês vinham vivendo e o que exatamente aconteceu quando trouxeram vocês para cá? Quanto mais eu souber, melhor. Eu preciso saber tudo.

Aman conversou com a mãe por alguns instantes para explicar tudo. Ela estava mais calma, mais recomposta. Então ele se virou para mim, respirou fundo e começou a contar sua história mais uma vez, ainda que relutante, como se não quisesse lembrar a si mesmo o resto da história, como se tivesse medo de precisar reviver tudo aquilo.

"Deus é Bom."

Aman

Está *bem*, se você acha que vai ajudar, eu continuo. O ônibus. Nós estávamos no ônibus. Era um ônibus confortável, o mais confortável em que eu já havia estado. Eu estava sentindo falta de Sombra, claro que estava. Mas, a não ser por isso, eu estava me sentindo muito animado. Acho que imaginava que aquele ônibus iria nos levar até a Inglaterra. Eu tinha apenas oito anos de idade, na época, lembra? Eu não fazia ideia de onde a Inglaterra ficava de verdade, nem de como era distante, nem de quanto tempo levaríamos para chegar.

Acho que se tivéssemos ideia de como seria longa e terrível aquela jornada, eu nunca teria entrado naquele ônibus para começo de conversa. O que aconteceu foi que aquela viagem de ônibus foi a última vez em que nós nos sentimos confortáveis, ou felizes, por muito, muito tempo.

Percebi que a mamãe ficou morrendo de preocupação quando chegamos à fronteira com o Irã. Ela me disse que nós iríamos fazer uma brincadeira. Nós tínhamos de fingir que estávamos dormindo se os soldados entrassem para nos conferir. E foi o que fizemos. Eu os ouvi percorrendo o corredor do ônibus, mas eles passaram por nós sem parar. Só ousei abrir meus olhos quando o ônibus começou a andar de novo. Havíamos atravessado a fronteira.

— Está vendo, Aman — ela sussurrou para mim —, Deus é bom. Deus está nos ajudando.

Ela então me disse que havia telefonado da base militar para o contato do tio Mir em Teerã, a próxima cidade grande, e que ele estaria esperando por nós lá quando chegássemos e iria cuidar de tudo. Assim, nós não tínhamos mais com o que nos preocupar. Acho que eu devo ter dormido a maior parte do caminho, porque não me lembro de muita coisa daquela viagem, só que ela parecia interminável.

O amigo do tio Mir estava lá para nos receber, como a mamãe havia dito. Ele nos guiou pelas ruas, nos orientando a não conversar com ninguém e a não olhar ninguém nos olhos, principalmente policiais. Ele nos disse que, se fôssemos apanhados, seríamos levados para a cadeia ou mandados de volta para o Afeganistão. Então é claro que nós fizemos o que ele mandou. Ele primeiro nos levou a um homem que pegou dinheiro da mamãe, depois a outro amigo do tio Mir chamado de "o mediador", que pegou ainda mais dinheiro dela.

Eu não gostei de nenhuma dessas pessoas. Não confiei em nenhuma também. Eles nos tratavam como se fôssemos lixo. Eu me sentia perdido num mundo estranho e hostil, agora sem Sombra para nos guiar. Mas eu tinha a minha estrela prateada. Eu a mantinha escondida no bolso. Nunca a tirava de lá, para o caso de alguém vê-la. Eu a apertava com força sempre que ficava com medo, o que acontecia muitas vezes, e sempre antes de dormir à noite. Era o meu talismã, o meu amuleto.

O amigo do tio Mir ficava nos dizendo que tudo daria certo, que estaríamos bem cuidados até chegar à Inglaterra. Viagem, comida, teríamos tudo de que precisávamos. Ele dizia que não haveria problemas, nenhum problema.

Nós acreditamos nele. Nós confiamos nele. Precisávamos fazer isso. Não tínhamos escolha, tínhamos? Mas tudo acabou sendo o começo de um pesadelo. Eles nos levaram para um porão e disseram que precisávamos ficar lá até tudo estar acertado. Ficamos lá por dias a fio. Eles nos davam comida e água, mas não nos deixavam sair, a não ser para irmos ao banheiro. A mamãe dizia que era como estar de volta à cela da polícia no Afeganistão.

Então voltaram para nos buscar uma noite, nos levaram para um beco escuro e nos enfiaram na traseira de uma caminhonete. Lembro de olhar para trás e ver todas as luzes da cidade. Uma hora, quando estávamos parados num sinal de trânsito, disse à mamãe que deveríamos sair de lá e fugir, que estaríamos melhor sozinhos. Mas então a caminhonete arrancou, e perdemos a chance de fugir.

Nunca tivemos outra chance.

Em algum lugar na periferia da cidade, a caminhonete parou. Havia uns homens esperando por nós. Eles nos fizeram entrar num imenso caminhão. No começo, parecia vazio, mas não estava. No fundo, havia um grande contêiner de metal, com as portas escancaradas. Eles nos empurraram lá para dentro, atiraram uns cobertores, disseram para ficarmos em silêncio e simplesmente foram embora. Estava muito escuro e frio lá dentro. Ficamos sentados abraçados num canto, com a mamãe me dizendo o tempo todo que tudo ia ficar bem, que o tio Mir sabia o que estava fazendo, que aqueles homens eram boa gente, que estavam cuidando de nós e que tudo iria acabar muito bem, se Deus quisesse.

Horas mais tarde, quando ouvimos vozes do lado de fora, e quando o caminhão começou a andar, comecei a acreditar que ela estava certa, certa a respeito de tudo, que talvez o pior já tivesse passado. Ficava dizendo a mim mesmo que logo estaríamos na Inglaterra com o tio Mir e teríamos um lugar quente onde dormir, água corrente e televisão, e eu poderia ver o Manchester United jogar e ver Ryan Giggs. Talvez eu até o conhecesse.

Mas não eram apenas esses pensamentos que me mantinham firme, eram também a minha estrela prateada e a lembrança que levava de Sombra, sempre trotando à nossa frente, abanando o rabo e nos guiando, parando para olhar para nós de vez em quando para se certificar de que estávamos indo, dizendo com o olhar que tudo o que tínhamos de fazer era continuar seguindo atrás dela. Bastava que eu pensasse nela e a imaginasse mentalmente que, por mais fome, frio ou medo que sentisse, ficava melhor, por um tempo, mas não muito.

Eu estava semiadormecido quando o caminhão parou de novo. Escutamos passos dentro do caminhão e então vozes do lado de fora do nosso contêiner.

— Polícia — a mamãe sussurrou. — É a polícia. Eles nos encontraram. Por favor, Deus, não. Por favor, Deus, não.

Ela estava com os braços ao meu redor, me segurando apertado e me beijando sem parar, como se fosse pela última vez.

O Trenzinho Vermelho

Aman

A porta do contêiner se abriu. A luz do dia nos cegou. Inicialmente, não conseguimos ver quem era.

Não era a polícia.

Eram o mediador e seu bando, as mesmas pessoas que haviam nos botado ali dentro. Eles disseram que poderíamos sair se quiséssemos esticar as pernas, que estávamos esperando por outras pessoas que se juntariam a nós.

Nós estávamos numa espécie de área de cargas com caminhões por todo lado, mas não muitas pessoas. Nós deveríamos ter fugido lá mesmo, mas sempre parecia ter alguém do bando do mediador nos observando, então não nos atrevemos a isso.

Poucos minutos depois, já era tarde demais.

Os outros refugiados chegaram, e foram todos reunidos no mesmo contêiner, ganharam mais uns cobertores, algumas frutas e uma ou duas garrafas d'água. Bateram as portas e nos fecharam lá dentro de novo, e o mediador gritou que, acontecesse o que acontecesse, nós não deveríamos gritar, ou seríamos todos presos e levados para a cadeia. Ouvimos o caminhão sendo carregado ao nosso redor.

Lembro que levou um tempo até meus olhos se acostumarem ao escuro de novo e eu conseguir ver os outros novamente.

Quando o caminhão começou a andar, ficamos sentados em silêncio por um tempo, apenas olhando uns para os outros. No total, contei que estávamos em 12 pessoas lá dentro, a maioria do Irã, e uma família — mãe, pai e menino — do Paquistão. Ao nosso lado, um casal do Afeganistão, de Cabul.

Foi Ahmed, o menininho do Paquistão, que começou a conversa. Ele se aproximou de mim para mostrar seu trem de brinquedo, porque eu era a única outra criança ali, acho que porque eu sabia que podia confiar nele. Lembro que o trem era vermelho e de plástico, e que Ahmed tinha muito orgulho dele.

Ele se ajoelhou para me mostrar como o trenzinho funcionava no chão e começou a contar a todos sobre como o avô dele trabalhava nos trens no Paquistão. Secretamente, mostrei a ele a insígnia de estrela prateada que o sargento Brodie havia me dado. Ahmed adorou ficar olhando para a estrela. Estava cheio de perguntas sobre a insígnia, sobre tudo. Ele disse que gostou de mim porque tinha um nome parecido com o dele. Não demorou muito para estarmos contando nossas histórias um ao outro. Para começar, nós demos muita risada e brincamos, e isso alegrou a todos. Mas não durou. Acho que as nossas risadas duraram mais ou menos o mesmo que as frutas e a água.

Não sei aonde aquele caminhão nos levou, nem quantos dias e noites ficamos trancados naquele contêiner. Eles não nos deixaram sair, nenhuma vez, nem para ir ao banheiro, nada. E nós não ousávamos gritar. Não nos levaram mais água nem comida. Sentíamos muito frio à noite e passávamos um calor terrível durante o dia.

Quando estava acordado, eu desejava estar dormindo para poder esquecer o que estava acontecendo, esquecer o quanto eu queria água e comida o tempo inteiro. Acordar era o pior. Agora, quando conversávamos uns com os outros era normalmente para tentar adivinhar onde estávamos, se ainda estávamos no Irã, na Turquia ou talvez na Itália. Mas nada disso fazia qualquer sentido para mim, porque eu não fazia ideia de onde ficavam esses lugares.

A maioria, como Ahmed e os pais, dizia que estava tentando chegar à Inglaterra, como a mamãe e eu, mas alguns estavam indo para a Alemanha ou a Suécia. Um ou dois haviam tentado antes, como o velho casal de Cabul. Eles nos contaram que estavam indo morar com o filho na Inglaterra, mas que já haviam sido pegos duas vezes e mandados de volta. Disseram que nunca iriam desistir.

Mas, no fim, as histórias pararam completamente, e não houve mais conversa, apenas o som de gemidos, choro e orações. Todos rezávamos. Para mim, a viagem dentro daquele caminhão era como percorrer um túnel longo e escuro, sem luz no final. E também era difícil de respirar lá dentro, e isso era o pior de tudo. As pessoas ficavam tossindo e se engasgando, e Ahmed também não estava bem. Mas ele não largava seu trenzinho vermelho.

O cheiro. Nunca vou me esquecer do cheiro.

Depois disso, acho que eu devo ter perdido a consciência, porque não me lembro de muito mais coisas. Quando acordei — foi provavelmente muitos dias depois, mas eu não sei — o caminhão havia parado. Talvez tenham sido os choros e os gritos que me acordaram, porque era tudo o que eu podia escutar. A mamãe e os outros estavam de pé batendo nas paredes do contêiner e gritando para sair.

Quando entraram para nos buscar e me arrastaram para fora de lá, eu estava praticamente morto.

Mas tive mais sorte do que o pequeno Ahmed.

Quando seu pai o levou para fora, na luz do dia, pudemos ver com certeza que ele estava morto. A mãe de Ahmed chorava desconsoladamente. Era um lamento de dor que saía do fundo dela, um choro que eu sabia que nunca terminaria. Eu nunca tinha escutado um som tão apavorante antes, e espero que nunca volte a escutar.

Mais tarde, naquele mesmo dia, depois que o enterraram, a mãe dele me deu o trenzinho dele para eu cuidar, porque eu tinha sido como um irmão para Ahmed, ela disse.

Eu ainda tenho o trenzinho de Ahmed na nossa casa em Manchester. A polícia, quando foi nos pegar, não deixou que eu o trouxesse comigo. Eu me esqueci dele e queria voltar para pegar, mas a polícia não deixou. Disseram que não dava tempo. Está no peitoril da janela do meu quarto.

Eu sonho bastante com o Ahmed, e frequentemente é quase o mesmo sonho. Ele está com a Sombra e o sargento Brodie, e eles estão brincando juntos do lado de fora dos muros de um castelo. É noite, e o céu é como um teto pintado com estrelas, e ele está jogando uma bola para ela.

É estranho como, nos sonhos, pessoas que nunca sequer se conheceram podem se encontrar em lugares onde nunca estiveram.

Todos Irmãos e Irmãs Juntos

Aman

A mamãe me contou que quando saímos daquele caminhão estávamos na Turquia.

Para ser sincero, eu não me importava muito com onde estávamos. Tudo fica meio nebuloso depois disso. Eu estava doente, lembro disso, mas tem muita coisa de que não quero me lembrar. Houve mais viagens de caminhão, uma pelo mar, em que ficamos todos mareados, mas nem mesmo isso foi tão terrível como a viagem no contêiner. Lá dentro era como um buraco negro.

Andamos em mais caminhonetes depois disso. Nós inclusive andamos a cavalo uma vez, atravessando as montanhas — mas não sei que montanhas. Dormimos na cabana de um pastor uma vez e ficamos presos lá por vários dias, porque estava nevando muito do lado de fora. Mas eu estava acostumado com neve. Nevava muito em Bamiyan. E as estrelas brilhavam mais intensamente quando havia neve no chão, e o céu parecia mais próximo.

Viajamos a pé também, desviando de patrulhas de fronteira à noite. Uma vez, ouvi tiros, mas nosso guia disse que eles faziam isso apenas para assustar as pessoas e afastá-las da fronteira. Seguimos em frente, e de alguma forma conseguimos. A mamãe sempre soube como. Ela disse que foi com Deus cuidando de nós.

Então houve mais uma longa viagem de caminhão — pelo menos nos deram comida e água e conseguíamos respirar. Não foi tão ruim dessa vez. Talvez estivéssemos nos acostumando com aquilo, não sei. A essa altura, todos já nos conhecíamos e sabíamos que estávamos enfrentando tudo aquilo juntos. Isso ajudou muito.

O velho casal de Cabul não falava muito, mas os dois sempre nos mantinham animados, dizendo dia após dia que estávamos chegando, que agora não faltava muito. Era algo em que todos queríamos acreditar, e acho que foi por isso que acreditamos. O casal dizia que havia gostado muito de mim porque eu os lembrava do filho deles quando ele era pequeno. Na verdade, todo mundo cuidava de mim e sempre cuidava para eu ter o que comer e beber. Pensei muito em por que eles eram todos tão bons comigo. Acho que não queriam ver outra criança morrer.

De certa forma, eu me tornei filho de todos naquela viagem.

Eu sabia, porque todos estavam preocupados e falavam sobre isso o tempo todo, que a parte mais perigosa da viagem seria a última, a da travessia do Canal da Mancha. Disseram que a única forma de fazer a travessia era se esconder num caminhão e torcer para não ser apanhado. Mas muitas pessoas eram apanhadas.

A mamãe tinha pavor de ser pega. Eu me preocupava com ela o tempo todo. Foi mais ou menos nesta época que ela teve o primeiro ataque de pânico. De certa forma, foi o ataque de pânico dela que nos salvou. O velho casal de Cabul cuidou dela e a acalmou. Acho que foi por isso que nos escolheram, por causa do ataque de pânico da mamãe e talvez porque eu os lembrava do filho deles.

Eles nos disseram que estavam falando sobre isso havia um tempo, e tinham decidido que queriam nos ajudar. Não poderiam ajudar a todos. Gostariam, mas não podiam. Havia polícia por todo lado perto da costa francesa. Disseram que havia centenas de pessoas esperando para encontrar um jeito de atravessar o canal até a Inglaterra.

Havia muitos mediadores que nos ofereceriam um lugar num caminhão, mas eram todos golpistas. Queriam apenas nosso dinheiro.

Bem, depois do que nos aconteceu nós acreditamos nisso, não é? Os mediadores podiam nos botar num caminhão, eles disseram, mas a polícia e os oficiais de imigração eram muito rígidos e examinavam todos os caminhões, cada um deles. Nós teríamos sorte de atravessar a fronteira. As duas últimas vezes que aquele velho casal havia tentado, foi como acabaram sendo pegos. Os dois nos disseram que tinham um plano. Podia funcionar, podia não funcionar, mas eles tinham certeza de que era muito melhor do que se arriscar novamente numa traseira de caminhão. Eles disseram que não havia o que pagar, quando a mamãe perguntou. Afinal, não éramos todos afegãos? Éramos todos irmãos.

Então contarei como entramos na Inglaterra, certo? Nós ficamos durante um bom tempo junto com muitos outros refugiados como nós. Era uma espécie de acampamento perto do mar, na França. Não era muito ruim. Tínhamos comida, tínhamos abrigo. Vivíamos em barracas montadas dentro de um prédio imenso.

A mamãe, eu e o velho casal de Cabul dividíamos uma barraca. O melhor de tudo era que havia dezenas de outras crianças, então nós podíamos jogar futebol. Às vezes, escolhíamos times — tipo Manchester United contra Barcelona. Você pode imaginar para qual time eu jogava.

Como o velho casal tinha um telefone celular, a mamãe falou umas duas vezes com o tio Mir em Manchester. Eu também falei, mas só uma vez. Ele me contou que o Manchester United havia vencido no dia anterior. O time havia feito dois a zero no Liverpool, e Ryan Giggs havia sido o melhor jogador da partida. Ele disse como estava ansioso para me levar para ver o Manchester United jogar e ter a mamãe e eu morando com ele e Mina na casa deles.

Lembro que a mamãe estava apavorada na noite em que fugimos do campo. Eu estava apenas emocionado. Nós quatro saímos juntos — o velho casal de Cabul e nós —, e não éramos os únicos fugindo naquela noite. Nós nos arrastamos através de um buraco na cerca e saímos correndo na escuridão do campo. Depois disso, tive a impressão de que caminhamos uma eternidade. Lembro que havia cachorros latindo, e isso vai parecer idiota, mas eu realmente me perguntei, ainda que por um instante, se a Sombra havia nos seguido por todo aquele caminho e nos encontrado com seu focinho farejador. Idiota ou não?

Então chegamos a uma trilha que nos levou a uma estradinha. Seguimos por ela por um tempo até chegarmos a uma encruzilhada. Minutos mais tarde, chegou um carro puxando um *trailer*. O motorista era o filho do casal, o que se parecia comigo quando pequeno, conforme os dois me lembraram. Tudo foi muito rápido. Ele nos ajudou a entrar no *trailer* e fez com quem nos escondêssemos embaixo da cama, onde nos esprememos bem apertados. Então a porta se fechou e foi chaveada.

— Com sorte, estaremos na Inglaterra em umas duas horas, talvez menos — disse o homem. Ninguém deve falar nada, nem um pio.

Bem, nós não falamos, e ninguém nos descobriu. E foi assim que entramos na Inglaterra, escondidos atrás de um *trailer*. O tio Mir e a tia Mina se encontraram conosco num posto de gasolina. Imagino que tudo tenha sido acertado com a mamãe pelo telefone. Nós nos despedimos do velho casal, e o tio Mir nos levou para Manchester em seu táxi. Ele era tão conversador como costumava ser ao telefone. Estava tão feliz por nos ver, que conversou durante quase todo o caminho.

No dia seguinte, o tio Mir nos levou à delegacia de polícia de Manchester para pedir asilo, para nos registrar como refugiados em busca de amparo. Ele disse que quanto antes isso fosse feito, melhor. A mamãe e eu ficamos muito felizes. Imaginávamos que tudo tinha acabado. Nós havíamos chegado à Inglaterra. Achávamos que agora estávamos a salvo.

Mas não estávamos a salvo coisa alguma.

“É o Nosso Lar, Agora.”

Aman

Tudo isso aconteceu quase seis anos atrás. E os seis anos foram muito bons. O tio Mir cuidou de nós o tempo todo, exatamente como havia dito que faria. Não sei o que teríamos feito sem ele.

Mas ele teve de ser internado para uma cirurgia, e é por isso que não pode vir nos ver aqui. Ele diz que virá quando estiver melhor — isto é, se ainda estivermos aqui. Ele nos liga todos os dias. Nós morávamos num pequeno apartamento em cima da casa do tio Mir e da tia Mina, e o escritório do táxi dele fica ao lado. Às vezes, eu atendo ao telefone com a tia Mina só para ajudar. É divertido. Eu gosto.

Eu gosto deste país também. Bem, eu gostava, até quatro semanas e seis dias atrás quando nos trouxeram para cá. Em casa, em Manchester, nós tínhamos praticamente tudo de que precisávamos: comida suficiente, água corrente e água quente também. É um pouco diferente da caverna, em Bamiyan. Uma vez por semana o tio Mir me leva à mesquita e mais ou menos uma vez por mês vamos a um jogo do Manchester United. Não dá para ir mais do que isso, pois é muito caro.

O tio Mir me trata como um filho. Nós jogamos Banco Imobiliário, Palavras Cruzadas, Xadrez... jogamos qualquer coisa. Ele ama jogos de tabuleiro. Eu ganho dele no Banco Imobiliário, como ganho de você. Mas ele sempre ganha de mim em Palavras Cruzadas. Mas um dia vou ganhar dele. E eu vi o Ryan Giggs. Não apertei a mão dele, mas quase. Consegui o autógrafo dele em vez disso.

Mas eu tive meus altos e baixos, principalmente no começo. Algumas das crianças da escola primária me deram muito trabalho no começo. Eu não falava inglês, nadinha. Isso foi um pouco difícil, mas logo aprendi. Depois, tinha um garoto metido — chamado Dan Smart — que pegava no meu pé no *playground*. Ele ficava me empurrando e me dizendo para voltar para o meu país. Mas o Matt logo o enfrentou e disse que ele era um tonto e um idiota — e um monte de outros nomes que é melhor eu não repetir. O Dan não voltou a me incomodar. E o Matt e eu nos tornamos melhores amigos desde então. Então a escola é ótima, sem problema algum.

Mas não foi tão fácil assim para a mamãe. Ela sente muito mais saudade de Bamiyan do que eu. Acho que sente falta dos amigos mais do que tudo. Ela ainda chora muito quando pensa na vovó, no papai e em tudo que aconteceu. Ela ajuda uma ami-

ga no brechó que fica na nossa rua e faz todos os consertos das roupas em sua máquina de costura. Ela é ótima com a máquina de costura. E dá aulas de

dari, ensinando algumas crianças locais — mas não por dinheiro. Não se pode receber salário quando se é um refugiado em busca de asilo. Mas ela ainda fica com medo às vezes, e o médico receitou alguns remédios para isso. Só que como fica sonolenta, ela não gosta de tomar os remédios. Ela me faz estudar muito na escola, porque quer que eu tenha um bom emprego quando crescer para não ser pobre.

Eu agora frequento a Academia Belmont. Eu gosto de quase tudo, menos de Economia Doméstica. Vou fazer minhas provas de GCSE no ano que vem, e vou fazer a prova de matemática este ano, um ano antes, porque sou bom em matemática. O Sr. Bell — meu professor de matemática — diz que eu vou me sair bem o suficiente para entrar numa universidade se me esforçar. Eu vou fazer a prova de matemática do GCSE no verão, um ano antes. Este era o plano, pelo menos. A mamãe também quer que eu vá para a universidade, para que possa me tornar engenheiro. Eu quero construir pontes. Adoro pontes. Não sou muito bom em inglês. Eu falo direito, mas não escrevo bem.

Mas preciso dizer que sou muito melhor no futebol. Eu mostrei a foto que o meu time de futebol mandou, lembra? Nós vencemos a liga no ano passado e no ano anterior. Nós somos os melhores! E eu não estou dizendo isso da boca para fora. Nós somos os melhores!

Mas desde que chegamos à Inglaterra, tem uma coisa que nos preocupa o tempo todo: se receberemos ou não permissão para ficar, se o governo nos dará o asilo que pedimos. Tem sido como uma sombra pairando sobre nós. Acho que me acostumei com isso, mas a mamãe nunca conseguiu parar de pensar no assunto. O tio Mir ficava dizendo que tudo daria certo, que o advogado disse que havíamos feito tudo o que deveríamos fazer, que tínhamos uma chance muito boa, que devíamos simplesmente seguir com as nossas vidas e não nos preocupar.

Mas é mais fácil falar do que fazer. Durante seis anos, nunca ouvimos nada do governo.

Então um dia recebemos uma carta nos dizendo que precisávamos voltar ao Afeganistão, simples assim. Então tentamos recorrer. Contamos como era para nós e a nossa família no Afeganistão, como a polícia nos tratava, falamos que o Talibã está por toda parte, que o papai foi morto por ajudar os americanos, que os talibãs assassinaram a vovó. Contamos mais uma vez como a mamãe havia sido torturada pela polícia.

Nós havíamos contado tudo isso antes, mas não adiantou. Eles nos deram todos tipos diferentes de motivos para a recusa. Dizem que o Afeganistão está diferente agora. Dizem que está bastante seguro, e que a polícia não é mais como costumava ser. Mas nós temos amigos aqui, e todos dizem que o Talibã ainda está forte no país e que a polícia continua tão ruim como sempre foi. Há uma guerra acontecendo lá, ou eles não se dão conta disso?

Mas eles não escutam. Querem apenas encontrar qualquer motivo para se livrarem de nós — é a sensação que temos, de qualquer maneira. Dizemos que somos refugiados em busca de asilo de verdade, que aqui é o nosso lar agora. É aqui que pertencemos. Mas eles não querem saber e, como eu disse, sequer nos deixam recorrer da decisão.

A mamãe estava sempre ficando muito estressada com isso tudo. Às vezes, não conseguia dormir, não conseguia comer, e mais cedo ou mais tarde acabava tendo um de seus ataques de pânico. Eu tentava não pensar em nada daquilo, simplesmente tirar tudo da cabeça, fazer o meu trabalho, jogar o meu futebol e seguir com a minha vida, como o tio Mir nos disse para fazer.

Mas a mamãe nunca conseguiu fazer isso. Foi por isso que não prestei muita atenção quando ela não parava de falar no assunto. Ela me avisou há alguns meses que mais cedo ou mais tarde viriam nos buscar. Só que eu sempre pensava que seria depois, ou que acabariam se esquecendo completamente de nós, que poderia sequer acontecer. Eu simplesmente não queria acreditar, esta é a verdade.

Então, numa manhã — eu ainda estava dormindo na cama —, fui acordado por uma batida forte e insistente na porta do andar de baixo. Foi como o começo de um terrível pesadelo.

Presos

Aman

Primeiro, pensei que fosse o tio Mir. Alguns dias antes, um cano estourou no nosso apartamento e a água havia inundado a casa deles. Pensei que tivesse acontecido de novo, e saí da cama para abrir a porta.

Mas não era na nossa porta, nem na do tio Mir. As batidas eram lá embaixo, na porta da rua.

Então eu desci para abrir. Eram homens uniformizados, alguns policiais, ou oficiais da imigração talvez — eu não sabia —, mas eram muitos, dez, talvez 12.

Eles passaram me empurrando e correram até o andar de cima. Então um deles me agarrou pelo braço e me arrastou até lá em cima. Encontrei a mamãe sentada na cama. Percebi que ela estava com dificuldade para respirar e que a qualquer instante estaria tendo um de seus ataques de pânico. Uma policial estava dizendo para que se vestisse, mas ela não conseguia se mexer.

Quando perguntei o que estava acontecendo, eles simplesmente me mandaram calar a boca. Então começaram a gritar com a mamãe, a dizer que tínhamos dez minutos para nos aprontarmos, que éramos refugiados ilegais, que eles iriam nos levar a um centro de detenção e que nós seríamos mandados de volta ao Afeganistão. Foi quando eu de repente fiquei mais irritado do que assustado. Gritei com eles. Disse que estávamos morando aqui fazia seis anos, que aqui era o nosso lar. Disse para irem embora.

Então eles ficaram realmente furiosos. Um deles me empurrou para fora do quarto da mamãe e então para o meu quarto e mandou eu me vestir.

Nunca mais nos deixaram sozinhos depois disso. Eles não saíram nem mesmo enquanto estávamos nos vestindo. Depois a mamãe me disse que havia pelo menos três policiais dentro do quarto dela o tempo todo, sendo um deles homem. Deixaram que levássemos poucas coisas conosco — uma pequena mochila de roupas e a minha mochila da escola, e só. Quase todas as nossas coisas ficaram para trás, todas as minhas tabelas de futebol, meus livros, meu autógrafo do Ryan Giggs, o trenzinho vermelho do Ahmed e o meu peixe dourado.

Mas eu estava com a minha estrela prateada no bolso da calça jeans, então pelo menos isso não deixei para trás. Eles não pararam de nos empurrar um minuto sequer. Nos levaram até a rua. Havia muita gente de pijama e camisola olhando para nós — o tio Mir, o Matt e o Flat Stanley também. O Matt me chamou e perguntou o que estava acontecendo, e eu disse que eles iam nos mandar de volta para o Afeganistão.

Um policial ficou me segurando pelo braço o tempo todo, me empurrando, me forçando a andar. Isso fez com que eu tivesse vergonha, e eu não tinha nada do que me envergonhar. A mamãe estava tendo um ataque de verdade a essa altura, mas eles nem se importaram. A policial disse que ela estava apenas fingindo, fazendo cena.

Eles nos enfiaram numa van e nos trancaram em compartimentos separados, com barras nas janelas, e nos levaram embora. Pude ouvir a mamãe chorando o tempo todo. Eles também deviam conseguir escutá-la, mas era apenas o trabalho deles. Estavam ocupados ouvindo o rádio e dando risada.

Eu fiquei o tempo todo falando com a mamãe, tentando acalmá-la, mas percebi que ela estava ficando cada vez pior. Bati na porta e gritei para os policiais que estavam na frente da van, e aí eles pararam. Olharam para a mamãe, e a mesma policial me disse de novo que ela estava fazendo cena e me mandou calar a boca para não ter problemas. Eu não calei a boca. Disse que queria ficar com a mamãe e não parei de falar até eles deixarem. A mamãe se acalmou um pouco depois disso, mas ainda estava em péssimo estado quando chegamos aqui.

Eles queriam que a mamãe e eu ficássemos em quartos diferentes. Disseram que eu era velho demais para ficar com ela. Eu disse que ficaria com ela para cuidar dela, não importava o que acontecesse, que eu estivera com ela a minha vida toda e que de jeito nenhum iriam nos separar. Dissemos que ambos faríamos greve de fome se eles nos separassem. Fizemos tanto barulho e confusão, que no fim deixaram que ficássemos juntos. Foi quando aprendemos a não desistir nunca.

Quando cheguei neste lugar, não conseguia acreditar. Quer dizer, parece que pode ser bom olhando de fora, como um centro de recreação, um pouco como a minha escola. Mas aqui dentro são apenas portas trancadas e guardas. É tudo falso, só para parecer bem — flores falsas sobre as mesas, quadros bonitos nas paredes, um berçário e um lugar para as crianças brincarem, e televisão. Mas é uma prisão. É o que isto aqui é: uma prisão. E foi no que eu não conseguia acreditar. Eles nos puseram numa prisão. Estávamos presos. Eu não havia feito nada de errado, nem a mamãe, nem qualquer outra pessoa aqui dentro. Todo mundo tem direito de pedir asilo, de tentar encontrar um lugar seguro para viver, não tem? Foi só o que fizemos.

Nos primeiros dias aqui, a mamãe só chorava. O tio Mir veio nos visitar e disse que chamaria o advogado e faria tudo o que pudesse para nos tirar daqui e nos levar de volta para casa. Mas nada era capaz de fazer a mamãe parar de chorar. Quando ficamos sabendo que o tio Mir havia tido um ataque do coração e estava internado no hospital — imagino que por causa de tudo o que havia acontecido —, as coisas só pioraram para a mamãe. Um médico a viu e lhe deu uma injeção. Depois disso, em vez de chorar, ela simplesmente ficava deitada olhando para o teto, como se não lhe restasse qualquer sentimento aqui dentro.

É pior para ela do que para mim. Ela tem suas lembranças, da prisão para a qual foi levada no Afeganistão. Sei que são lembranças terríveis, porque ela ainda não fala a respeito. Ela diz que nunca voltará ao Afeganistão, que prefere se matar. E eu sei que ela está falando sério.

E isto é quase tudo, toda a história. Ah, sim, exceto por uma coisa. Há mais ou menos uma semana, acho que foi. Entraram no nosso quarto numa manhã bem cedo e nos disseram que iriam nos levar para o aeroporto e nos mandar para o Afeganistão. Perguntamos quando isso iria acontecer. Responderam que seria imediatamente e que nós precisávamos nos aprontar.

Nos recusamos.

A mamãe brigou com eles, e eu também. Tiveram de nos segurar e nos algemar. Na van, durante todo o percurso até o aeroporto, ficamos batendo nas laterais da van, gritando e berrando. Eles nos levaram direto até o avião e tentaram nos fazer subir a escada. Nós nos negamos. Tiveram que meio nos arrastar, meio nos carregar escada acima. Mesmo em seu assento no avião, a mamãe não parou de lutar com eles. Eu já havia quase desistido a essa altura, mas a mamãe, não. É por isso que ainda estamos aqui, porque a mamãe não desistiu.

No fim, o piloto veio e disse que não poderia decolar com a mamãe e comigo a bordo, que nós representávamos um perigo aos outros passageiros, que os estávamos assustando. Então nos tiraram do avião e nos trouxeram de volta para cá. Ninguém ficou nem um pouco feliz de nos ver. Estávamos com dor nos pulsos, onde haviam nos algemado, e com machucados pelo corpo todo, mas não nos importamos. A mamãe me disse naquela noite que o vovô teria ficado orgulhoso de nós. Ele havia sido um defensor da liberdade, assim como o papai, à sua própria maneira. Nós devemos lutar pela nossa liberdade e nunca desistir.

"Nós Vamos Conseguir!"

Vovô

Aman se virou para ela.

— Foi o que você disse, não foi, mamãe? Que nunca devemos desistir, certo?

Ele ainda estava falando em inglês, mas pude ver pelo sorriso de sua mãe que ela havia compreendido, que havia compreendido tudo desde o começo.

Aman continuou, segurando as mãos dela apertadas nas dele.

— Vão tentar nos levar embora de novo. Pode ser hoje. Pode ser amanhã, pode ser na semana que vem. Mas nós não iremos sem briga, não é, mamãe? — Ela estendeu a mão e tocou a nuca dele, acariciando seus cabelos com carinho e orgulho.

— Ela não vai responder — disse Aman. — É uma regra que ela fez quando chegamos aqui, que com ela eu devo sempre falar dari. Ela diz que eu não devo nunca me esquecer de que somos hazaras, e se eu falar a nossa língua, nunca me esquecerei. E eu digo que precisamos falar inglês porque agora também somos ingleses. Somos os dois. Nós brigamos por causa disso, não é, mamãe?

Mas eu tive a impressão de que a mãe dele não estava mais escutando. Estava olhando para mim.

Então ela falou comigo, em inglês, lenta e hesitantemente, procurando cuidadosamente pelas palavras, mas querendo dizer cada uma delas.

— Obrigada por vir nos ver. O Aman falou sobre você. Ele gosta de você. Você tem sido muito bom para nós.

Então fui distraído, como havia acontecido algumas vezes por toda a tarde durante a história de Aman, por uma menininha de apenas dois ou três anos, imagino, usando um vestido cor-de-rosa. Ela estava correndo pelo salão de visitas, e eu já havia visto antes como toda vez que a porta que levava ao mundo exterior se abria, sempre que alguém entrava ou saía, ela corria em direção à porta, que invariavelmente se fechava para ela.

Havia várias portas de saída do salão, mas ela parecia saber que aquela era a porta que precisava ser usada quando se queria sair daquele lugar. Depois que a porta se fechou desta vez, a menina ficou parada olhando para a porta e depois olhou para o guarda parado ao lado dela. Então se sentou no chão, com um ursinho de pelúcia na mão e o polegar na boca, e ficou esperando a porta abrir de novo, com o guarda olhando para ela impassível. Ele não parava de remexer o molho de chaves que tinha pendurado no cinto, sacudindo-as de vez em quando, como um chocalho.

Eu me levantei alguns instantes depois.

— Eu voltarei — disse a eles.

— Espero que ainda estejamos aqui — disse Aman. Eu não estava esperando que ele quisesse apertar a minha mão. Mas ele quis. Quando peguei a mão dele, senti algo sendo pressionado na minha. Adivinhei imediatamente que era a insígnia prateada. Ele olhou bem firme nos meus olhos, dizendo-me com o olhar para não olhar para baixo, para apenas pôr a mão no bolso e ir embora. Quando saí do centro de detenção e os portões se fecharam atrás de mim e eu me encontrei mais uma vez no mundo livre, eu soube que estava segurando o futuro deles na palma da minha mão.

Matt estava esperando por mim com o Cachorro.

— E então? O que aconteceu, vovô? Você ficou lá dentro uma eternidade. Você o viu?

— Eu o vi. Vi ele e a mãe dele — respondi.

— Ele está bem? — Matt perguntou.

— Por enquanto — eu disse.

Matt estava explodindo de curiosidade para ouvir o que havia acontecido lá dentro. Dei a ele a insígnia de Aman com a estrela prateada, e no carro, a caminho para casa, com a cabeça do Cachorro deitada em meu ombro como de costume, contei a ele tudo o que Aman havia me contado, sobre Bamiyan, toda a incrível história da fuga deles do Afeganistão, sobre Sombra e o sargento Brodie, sobre a viagem pesadelo que fizeram até a Inglaterra — e tudo sobre Yarl's Wood também, sobre como era por dentro, e sobre a menininha de vestido cor-de-rosa. Eu simplesmente não conseguia tirá-la da cabeça.

Até eu terminar a história — e a essa altura nós já estávamos quase em casa —, ele não disse nada, não fez qualquer pergunta. Simplesmente ficou sentado me escutando, segurando a insígnia de estrela prateada de Aman nas mãos.

— Ele nunca me contou nada disso — disse Matt. — Ele nunca me contou nada. — E então: — Eu já vi esse trenzinho vermelho. Ele guarda no quarto dele. Eu achava que era só o brinquedo preferido dele, sabe, de quando ele era pequeno. Ele nunca me contou.

Não conversamos muito depois disso. Falamos muito pouco até chegarmos em casa. Então ficamos sentados no carro por um tempo. Eu sabia o que ele estava pensando, e acho que ele sabia o que eu estava pensando também.

— Não adianta, Matt — eu disse a ele. — Eu já quebrei a cabeça, mas não tem jeito. Mesmo se conseguíssemos pensar em alguma coisa, seria tarde demais. Eu realmente não acho que tenha alguma coisa que possamos fazer por eles.

— Ah, tem sim, vovô — Matt disse. — Tem que ter. E nós vamos fazer.

Estrelas Cadentes

Matt

Preciso ser sincero.

Enquanto ouvia o vovô no carro, eu me sentia cada vez mais magoado.

Quero dizer, por que o Aman não me contou nada disso antes? Afinal, eu era o melhor amigo dele, não era? Ele não confiava em mim?

Sim, é claro que eu sabia que ele tinha vindo do Afeganistão quando era pequeno. Mas eu nunca havia perguntado nada — não achava que fosse da minha conta — e ele nunca me contou.

E, sim, eu sabia que o pai dele tinha morrido, isso ele havia me contado, mas nunca me contou como. Não me disse nada sobre as cavernas ou o cachorro ou os soldados, nada sobre ser um refugiado em busca de asilo. Todo esse tempo, por seis anos, ele não havia me contado nada. Eu nunca sequer tinha ouvido falar desta insígnia prateada, e agora ali estava eu, segurando a estrela nas minhas mãos.

Mas, conforme a viagem de carro continuava, eu senti a mágoa dentro de mim se transformando em raiva, não raiva contra Aman, mas contra a forma como ele a mãe dele estavam sendo tratados naquele tal de Yarl's Wood.

Era injusto. Era cruel. E estava errado.

Quanto mais pensava no assunto, mais claro ficava o meu raciocínio. Assim, quando o vovô e eu chegamos em casa, quando estávamos sentados à mesa da cozinha e ele se serviu de uma xícara de chá, eu sabia exatamente o que deveríamos fazer.

Eu não sabia se iria funcionar. Só sabia que precisávamos tentar.

Além disso, eu sabia que o vovô iria concordar, que estava sentindo tanta raiva quanto eu em relação a tudo aquilo. Enquanto falava sobre a minha ideia, tive a clara impressão de que nada daquilo era novo para ele. Era algo em que ele já vinha pensando.

— Sabe o que eu acho, vovô — eu disse. — Acho que você deveria escrever a história do Aman e publicá-la nos jornais. Quer dizer, você é jornalista, não é? Você pode fazer isso. Se as pessoas conhecerem a história do Aman, souberem o que ele e a mãe dele passaram, como ele salvou a Sombra e aqueles soldados, vão ficar tão furiosas como nós estamos. Poderíamos fazer as pessoas irem a Yarl's Wood para fazer protestos. Elas iriam, eu sei disso. Quero dizer, o governo — ou quem quer que seja — teria de mudar de ideia, não teria? Nós podemos fazer isso, vovô.

Vovô tomou o chá pensativamente por um tempo.

— Você realmente acha que há uma chance? — ele perguntou.

Pus a estrela do Aman em cima da mesa, na frente dele.

— O Aman acha que sim, vovô — respondi. — Foi por isso que ele deu isso a você. Ele está contando conosco, vovô. Ele não tem mais ninguém.

Vovô olhou para mim.

— Está bem. Combinado — ele disse. — Vamos lá.

Ele se levantou imediatamente e foi até a sala ao lado ligar para o velho editor dele no jornal. Os dois conversaram, mas não por muito tempo.

Pela expressão desanimada que ele tinha no rosto quando voltou à cozinha, achei que talvez o editor não tivesse concordado.

— Não sei se consigo fazer isso, Matt — ele disse. — Ele gostou da ideia da matéria, ficou muito empolgado. Disse que se eu fizer direito, pode ganhar a primeira página. Mas, se quisermos que seja publicado no jornal de amanhã, ele disse que tenho duas horas para entregar o texto. Quinhentas palavras, e precisa ser entregue no máximo às seis da tarde.

— E daí? — eu disse, encolhendo os ombros. — Qual é o problema, vovô? Quantas vezes você me disse para parar de procrastinar e fazer logo a minha lição de casa?

— Entendi — respondeu o vovô com um sorriso.

Ele se sentou em frente ao *laptop* na mesa da cozinha e começou a trabalhar. Dali em diante, mal ergueu o olhar. Eu queria ler por cima dos ombros dele enquanto ele escrevia. Mas ele não deixou. Só depois de revisar o texto e digitar o último ponto, ele me deixou ler, afinal.

— E então? — perguntou.

— Maravilhoso — respondi. E estava mesmo. Quando terminei de ler, estava com lágrimas nos olhos. Ele mandou por e-mail para o jornal imediatamente. Em poucos minutos, recebeu um e-mail de resposta.

Dizia:

Vai ser publicada amanhã. Não mudei uma palavra. Primeira página, fotos, tudo o que tiver direito. Com o seu título também. "Queremos vocês de volta." Com a retranca que você pediu e o apelo especial para que todos se reúnam para protestar diante de Yarl's Wood às oito horas de amanhã. Você tem o apoio do jornal. Boa sorte.

Liguei para casa em seguida e contei à mamãe o que o vovô e eu estávamos fazendo, falei sobre tudo o que havia acontecido naquele dia e sobre a matéria do vovô que ia sair no jornal do dia seguinte.

Foi um longo telefonema — e o vovô falou com ela também. Mas, ao final da conversa, depois de ficar sabendo de tudo sobre Aman, ela queria fazer qualquer coisa que pudesse para ajudar, assim como o papai. Eles concordaram em entrar em contato com todo mundo que conhecíamos: parentes, amigos, conhecidos da escola — por e-mail, Twitter, Facebook, torpedo, telefone, de qualquer forma que pudessem, para tentar convencê-los a se juntar ao protesto.

A mamãe estava realmente animada com tudo. Disse que tinha sido muito ativista quando era estudante. Ela sabia fazer essas coisas. E eles próprios estariam no dia seguinte em Yarl's Wood nos dando apoio, é claro.

Então o papai pegou o telefone e disse que estava com muito orgulho de mim. (Eu gostei muito de ouvir ele dizer isso. Não acho que tivesse dito alguma vez antes.) Estava com a voz meio embargada e disse que havia vezes em que era bom ser criador de caso, e esta era uma dessas vezes, mas eu não devia transformar isso num hábito!

Então o vovô e eu deixamos todo esse lado das coisas, a organização do protesto, para a mamãe e o papai, e nos ocupamos de fazer cartazes. Estendemos jornal de um lado a outro no chão da cozinha.

Encontrei um resto de tinta verde numa lata dentro da cabana do jardim. Não era a melhor cor, mas serviria. Fizemos dois cartazes. Um dizia (ideia minha): QUEREMOS AMAN DE VOLTA. O outro (ideia do vovô): SOLTEM NOSSAS CRIANÇAS.

Levamos muito mais tempo do que havíamos previsto. Não ajudou muito o fato de o Cachorro ficar andando por cima dos cartazes, pontuando as letras com suas enormes patas manchadas de verde. Ficávamos tentando enxotá-lo, mas ele sempre voltava. Ele achava que era uma brincadeira, e não houve o que pudéssemos fazer para convencê-lo de que não era. Depois disso, saímos para o jardim e ficamos sentados olhando durante um tempo para as estrelas ao lado da árvore da vovó. Havia estrelas cadentes naquela noite. Um monte. Contamos seis antes de ir para a cama. Mas a que eu tinha na minha mão era a mais importante, a que eu estava apertando com força enquanto fazia um pedido para cada estrela cadente que vimos.

“Só os Dois e um cachorro.”

Matt

Algumas horas depois — e eu mal consegui dormir naquela noite — nós estávamos acordados a caminho do Centro de Detenção Yarl’s Wood, com os cartazes enrolados no porta-malas e o Cachorro no banco de trás arfando de excitação na nuca do vovô. Ele sabia que alguma coisa estava acontecendo.

Compramos dois exemplares do jornal do dia na loja da esquina, e lá estava, na primeira página, a história de Aman. Não poderíamos querer mais do que aquilo.

— Bem — disse o vovô, — esperamos que isso movimente as coisas um pouco. Deve ter alguns ministros engasgando com os cereais em Londres por causa disso!

Nós dois esperávamos que houvesse dezenas de pessoas esperando do lado de fora dos portões de Yarl's Wood quando chegamos. Mas não havia ninguém lá. Não consegui entender. O vovô disse que ainda era cedo, que eu não deveria me preocupar, que todos chegariam logo. Mas eu imediatamente peguei o celular para garantir que pelo menos a mamãe e o papai estavam a caminho. Eles não estavam atendendo, e isso me deixou ainda mais ansioso e chateado.

Nos sentindo um pouco ridículos, e tristes, ficamos lá parados, nós dois e o Cachorro do lado de fora da cerca de arame farpado de Yarl's Wood, segurando nossos cartazes, esperando e torcendo que alguém nos notasse, que não ficássemos sozinhos daquele jeito por muito tempo. Ficávamos esperançosos toda vez que um carro surgia na estrada, mas todos apenas passavam por nós e entravam pelos portões. Recebemos muitos olhares enviesados.

Os seguranças dos portões se aproximaram para olhar para nós pela cerca e depois os vimos ao telefone na guarita. Ao menos eles haviam nos notado, pensei. E isso era alguma coisa. Mas, uma hora mais tarde, e uma hora muito longa, ninguém havia se juntado a nós. Percebi que o vovô estava tentando não parecer decepcionado, mas ele estava, assim como eu.

— Não é exatamente um protesto em massa, né? — eu disse.

— Espere um pouco, Matt, espere um pouco — o vovô me disse.

Eu sabia que ele estava apenas tentando ser otimista, tentando fazer com que eu me sentisse melhor, e isso no fim realmente começou a me irritar. Ele disse que não era sequer hora do café

CE

da manhã para a maioria das pessoas ainda, que tudo daria certo.

— Não, não vai dar certo — gritei. — É claro que não vai dar certo. Não se ninguém aparecer.

Saí para dar uma corrida com o Cachorro, em parte porque percebi que ele estava se cansando de ficar ali parado na coleira, mas principalmente porque estava com vergonha de mim mesmo por ter gritado com o vovô. Soltei o Cachorro da coleira e saímos correndo juntos pelo gramado.

Eu já estava de novo ao lado do vovô, ainda tentando encontrar uma forma de pedir desculpas quando, afinal, vimos um carro se aproximando lentamente pela estrada. O carro parou e estacionou ao lado do gramado. Nosso primeiro manifestante, pensei. Mas era um carro de polícia. Dois policiais saíram e se aproximaram de nós. Um deles estava falando pelo rádio. Eu o ouvi dizendo algo parecido com:

— Não há nada com o que se preocupar. São só os dois e um cachorro.

Eles se aproximaram e perguntaram ao vovô o que nós estávamos fazendo ali. O vovô foi bem direto. Fiquei impressionado com ele. Eu nunca o havia visto tão irritado e desafiador daquele jeito. Ele falou a eles sobre o Aman, sobre todas as crianças e famílias que estavam sendo mantidas presas ali e sobre como tudo aquilo era errado e cruel. Eu continuei de onde ele parou. Estava realmente exaltado.

— O que você acharia se os seus filhos estivessem presos sem terem feito nada de errado? — perguntei. — O meu melhor amigo está aí dentro, e a qualquer dia vão mandá-lo de volta ao Afeganistão. Ele mora aqui já há seis anos! É contra isso que estamos protestando.

Acho que eles ficaram um pouco espantados. Anotaram nossos nomes e disseram que não havia problema de ficarmos ali desde que não bloqueássemos a estrada nem causássemos perturbação pública — o que quer que isso quisesse dizer. Então eles foram embora, mas apenas até o carro, de onde ficaram nos observando. Isso fez com que eu me sentisse ainda mais bobo, porque sabia que eles deviam estar rindo de nós.

Estávamos lá havia mais de duas horas. Ainda não havia conseguido falar com a mamãe e o papai pelo celular. Os telefones deles haviam sido desligados ou estavam sem sinal. Já eram quase dez e meia. Era tempo suficiente para outras pessoas terem chegado a Yarl's Wood. Eu saía para passear com o Cachorro para me manter ocupado e parar de me sentir tão infeliz. E não funcionava. Eu estava prestes a desistir.

— Não adianta, vovô — eu disse. — Precisamos encarar a realidade. Ninguém leu a matéria. E, mesmo que alguém tenha lido, não virá. Não há por que ficar.

Foi quando o vovô sentou, deu uns tapinhas na grama ao lado dele para que eu fizesse o mesmo e nos serviu chá da garrafa térmica que havia trazido de casa. Comemos uns biscoitos e uns chocolates também. Eu já estava me sentindo um pouco melhor.

—Você está com aquela estrela, não está? — O vovô me perguntou, depois de um tempo.

— Estou — respondi.

— Então aperte-a com força, Matt, e tenha esperança. Foi o que Aman me contou que fazia quando as coisas estavam muito ruins para ele. Funcionava para ele.

Fiz o que ele disse e agarrei a estrela com força no bolso, até meus olhos lacrimejarem.

Foi quando vimos um veículo preto subindo lentamente a colina na nossa direção. Quando chegou mais perto, vimos que era um táxi. O carro parou bem na nossa frente. Na lateral da porta da frente dizia "MMM — Manchester Motors Mir". Seis pessoas saíram do carro, todos familiares de Aman. Eu conhecia todos eles. O último foi o tio Mir, ajudado pela tia Mina.

Tio Mir estava com a aparência frágil, mas determinada, apoiando-se pesadamente numa bengala ao se aproximar de mim. Ele apertou a minha mão e a do vovô, agradecendo emocionado tudo o que estávamos fazendo. A família toda se reuniu ao redor dele, ajudando-o a sentar numa cadeira de rodas e enrolando-o num cobertor, com a tia Mina o recriminando o tempo todo por fazer aquilo contra as ordens médicas.

Depois de instalado na cadeira de rodas, ele nos disse que depois que leu a matéria no jornal nada no mundo o teria impedido de estar ali.

— Aman é como um filho para mim — ele disse ao vovô. — Eu tenho muito orgulho dele e da mãe dele também. Mas está faltando uma coisa na sua matéria do jornal. Ele não contou que escreveu a ele, ao soldado, àquele sargento Brodie?

— Não — disse o vovô. — Ele não contou.

— Bem, ele escreveu — continuou tio Mir. — Duas vezes. Uma vez, foi para perguntar se podia ir ver Sombra. Ele adora aquela cachorra, sempre adorou. Todos esses anos depois e ele ainda fala nela. Mas ele nunca recebeu qualquer resposta. Mais tarde, ele escreveu para pedir que o sargento Brodie apoiasse o pedido de asilo deles, para que tivessem permissão de ficar no país. Aman descobriu o endereço do regimento e mandou a carta — eu mesmo a postei —, mas nunca recebeu resposta dessa carta também. Estava sempre esperando por uma resposta, mas ela nunca veio. Isso foi muito difícil para Aman. Mas ele nunca sentiu raiva. Eu senti. Vou lhe dizer, se um dia eu cruzar com esse homem, vou lhe dizer umas boas verdades. Vou, sim.

Cantando na Chuva

Matt

— Quero dizer, por quê? — continuou o tio Mir, ficando cada vez mais irritado. — Por que esse sargento Brodie não respondeu? E quando pensamos no que Aman fez naquele dia? Ele salvou a vida deles, pelo amor de Deus. — Sua mulher estava tentando acalmá-lo, mas o tio Mir não a estava ouvindo. — Com amigos como esse soldado, quem precisa de inimigos? — ele disse, com amargura.

E então, enquanto ele falava, olhei para cima e vi o carro do papai se aproximando na nossa direção, com a mamãe acenando pela janela. Finalmente, finalmente.

Eles não estavam sozinhos. Havia todo um comboio de carros vindo atrás deles, com pelo menos uma dúzia de nossos amigos de Manchester. A mamãe pediu muitas desculpas, disse que o trânsito estava terrível e que o celular ficou sem bateria.

Eu não me importei. Eles estavam ali.

De repente, eu estava começando a acreditar que aquilo poderia realmente funcionar. E quando, mais ou menos uma hora depois, um ônibus apareceu na estrada e eu vi que todo o nosso time de futebol estava lá vestindo o uniforme azul, o vovô e eu começamos a dar pulos e a nos abraçar, gritando de alegria. Foi um momento emocionante. O Cachorro também achou. Estava louco de faceiro!

O Flat Stanley estava lá, assim como o Samir, o Joe, o Solly, todos eles. Todos vieram correndo até onde estávamos. Todo o time estava ao meu redor. De repente, me senti muito bem. Nada poderia nos parar agora. Iríamos vencer. Sempre vencíamos, não?

— Que bela produção, hein? — disse Flat Stanley, com um grande sorriso no rosto. — Pelo Aman, certo?

— Pelo Aman — eu disse.

Havia pais e professores com eles, e outros alunos da nossa série também, um ônibus lotado!

Eles seguraram a faixa que havíamos feito semanas antes na escola para a foto do time, a que mandamos para Aman. "QUEREMOS VOCÊ DE VOLTA", dizia a faixa em letras de todas as cores do arco-íris, grandes e coloridas.

Então chegaram também as câmeras de televisão, várias delas. Havia repórteres de jornais e emissoras de rádio, e todos queriam nos entrevistar. No fim, no meio da tarde, praticamente todos os nossos amigos e parentes haviam se juntado a nós, exatamente como esperávamos que eles fizessem. Vieram de todo canto, principalmente de Manchester e Cambridge, mas muitos de muito mais longe.

A titia Morag, que tem 84 anos, veio de avião de Orkney e trouxe três amigas para apoiar a melhor das causas, disse ela, quando me deu um abraço. Então o vovô e eu tínhamos muitos motivos para estarmos felizes. No total, devia haver umas 200 pessoas reunidas ali e não parava de chegar gente o tempo todo.

Ninguém mandou ninguém começar a cantar. A cantoria parece ter acontecido naturalmente, liderada principalmente pelo Flat Stanley e o Samir e o time de futebol, seguida por todos nós.

— Queremos Aman de volta! Queremos Aman de volta!

Havia cada vez mais seguranças se reunindo atrás dos portões, e eles estavam começando a parecer cada vez mais ansiosos, o tempo todo falando ao telefone.

Parece que aparecemos em rede nacional de televisão e rádio no noticiário do meio-dia, e é claro que a matéria do jornal já estava rodando havia muitas horas àquela altura, com seu convite a todos para se unirem a nós. E havia cada vez mais gente se unindo a nós, mais do que jamais pudemos imaginar. Aquele não era mais um pequeno protesto, estava se transformando numa enorme multidão, uma multidão que gritava, cantava e fazia olas. Era de verdade, um protesto de verdade. Agora havia gente suficiente ali para todos saberem que estávamos falando sério, que não iríamos embora.

Mas havia mais policiais chegando também, em grandes vans brancas, e quando eles saltaram das vans, vimos que carregavam capacetes e escudos. Acho que foi só quando os vi que me dei conta de como aquilo tudo havia ficado sério, que as coisas poderiam realmente sair do controle.

Ao meu redor, os sentimentos estavam a mil, e percebi pelas expressões nos rostos dos policiais que também estavam sentindo isso. Alguns tinham cachorros, e o Cachorro não gostou nem um pouco disso. Latia furiosamente se eles se aproximavam demais, e gostei de ver que os cães policiais pareceram um pouco surpresos com isso. Eles não pareciam saber muito bem o que fazer. Fiquei orgulhoso do Cachorro. Ele não ia ficar nem um pouco mais intimidado do que nós.

Toda aquela movimentação, a gritaria e a cantoria eram emocionantes, mas era tudo um pouco assustador também. Eu estava começando a me perguntar se havia sido uma ideia tão boa. Quero dizer, o Aman ainda estava preso lá dentro, dentro de Yarl's Wood, e nós estávamos no lado de fora. Sim, estávamos fazendo muito barulho, e também uma bela perturbação. Mas o que estávamos fazendo de bom? E como ajudaríamos Aman e a mãe dele se alguém ficasse ferido?

Senti que estava perdendo a coragem de novo, perdendo a esperança. Enfiei a mão no bolso e apertei com força a estrela de Aman. Isso, mais um biscoito de chocolate e a animação da multidão ao meu redor me encheu de energia suficiente para continuar firme, manter a minha coragem e me manter cantando com os demais.

Mas então começou a chover, e a chover forte, e toda a cantoria e os gritos diminuíram. Fomos deixados ali de pé, encharcados e com frio e sentindo pena de nós mesmos. Foi como se a polícia tivesse mandado chover para afogar nossos ânimos, e estava funcionando. Então o vovô fez uma coisa completamente maravilhosa, absolutamente surpreendente. Ele começou a cantar, na chuva. E foi ISSO que ele começou a cantar: "Singing in the rain", de um de seus filmes preferidos, e meu também. Nós sempre víamos o DVD juntos. Não demorou muito para que todos se juntassem a nós, dando risada, de braços dados, cantando e dançando na chuva.

Vi que alguns policiais estavam sorrindo também, mas nenhum estava dançando.

Só que uma canção não dura para sempre, e logo estávamos todos mais uma vez de pé na chuva, em silêncio novamente, esperando, sem saber exatamente pelo quê. Quero dizer, nós havíamos marcado a nossa posição, feito o nosso protesto, mas e daí? Passamos horas lá, molhados, com frio e cansados. Ninguém disse, mas eu sabia que todos estavam pensando o que eu estava pensando. Aman e a mãe dele ainda estavam presos em Yarl's Wood, e, se fossem sair, seria apenas num carro que os estaria levando ao aeroporto para deportá-los para o Afeganistão. Mais cedo ou mais tarde todos teríamos de voltar para casa, e não teríamos conseguido coisa alguma. Até mesmo a estrela prateada de Aman parecia ter perdido seu poder.

Carros e vans iam e vinham através dos portões do Centro de Detenção. Agora havia ainda mais guardas de segurança do outro lado da cerca, e eu vi que alguns deles estavam tirando fotos de nós. Reforços policiais continuavam chegando. Eram centenas deles agora, nos encarando, em silêncio e sérios. Era um impasse.

Mas eles não nos assustavam mais. Acho que eu estava muito encharcado e com muito frio e fome para ficar assustado. Não pude deixar de pensar que o vovô e eu não havíamos pensado nesta parte do nosso plano. Não tínhamos um guarda-chuva, nada de chá, nenhum biscoito. E se todo mundo simplesmente nos ignorasse e nos deixasse lá ficando cada vez mais molhados? Podia sentir uma crescente sensação do mesmo desespero ao meu redor na multidão. Todo o protesto estava esvanecendo, e as pessoas estavam começando a ir embora. O time de futebol parecia triste e com frio, como se tivesse acabado de perder uma partida por dez a zero. Fazia muito tempo que tio Mir havia sido levado para o carro. Estava claro que não resistiríamos por muito mais tempo.

Mas todas as nossas esperanças e ânimos melhoraram quando a chuva finalmente parou e o sol apareceu. De repente, vimos um lindo arco-íris aparecendo no céu atrás do Centro de Detenção.

— Um sinal de boa sorte — disse o vovô.

Quando, alguns momentos depois, o arco-íris se revelou um arco duplo, todos na multidão começaram a rir e a comemorar. Eu nunca havia visto uma comemoração por um arco-íris antes. Como disse o vovô, era um bom presságio. Certamente tinha de ser.

Foi quando vi um dos policiais atravessar a estrada na nossa direção, determinado, com um megafone na mão.

— Sua atenção, por favor? — ele começou. Levou um tempo até a multidão fazer silêncio suficiente para que ele pudesse continuar. — Eu sou o inspetor Smallwood, e acabo de ser informado que a Sra. Khan e seu filho Aman deixaram o Centro de Detenção Yarl's Wood no começo da manhã de hoje. Eles foram levados ao Aeroporto Heathrow para ser embarcados num voo para Cabul. Assim, devo informar que os indivíduos não estão mais aqui. Eles já foram removidos.

Hora de Ir Embora

Matt

Ficamos todos parados, em silêncio, perplexos. Olhei para cima e vi, através das lágrimas, que havia um melro cantando em cima da cerca de arame farpado, com o arco-íris duplo ainda no céu. Era quase como se estivessem brincando conosco.

O policial não havia acabado.

— Então agora vocês sabem — ele disse. — O que quer dizer que não há mais por que ficar aqui.

Acabou. Então, vamos todos para casa, antes que fiquemos doentes. Vamos acabar com isso. Vamos lá. Está na hora de irmos para casa.

Acho que não teria realmente chorado se não tivesse escutado os soluços do time de futebol que estava atrás de mim. Meus olhos e meu coração se encheram de lágrimas. O vovô segurou meu braço e o apertou firme. Não havia nada que pudéssemos dizer.

Estava tudo acabado.

Eu não vi nem ouvi o carro chegando pela estrada. Ele simplesmente pareceu se materializar na nossa frente, repentinamente, do nada.

Vi as portas do carro se abrindo e fiquei imaginando quem era. Mas a esta altura eu não me importava mais, de tão triste que estava. A primeira a sair foi uma menina, de dez ou onze anos, calculei. E então, um cachorro saltou depois dela preso por uma coleira.

Era um spaniel, marrom e branco, como o Cachorro. Exatamente como o Cachorro.

A menina estava tentando segurar o cachorro ao mesmo tempo em que tentava ajudar um homem a sair do banco de trás do carro. Quando ele saiu e ficou de pé, vi que era um soldado de uniforme cáqui e chapéu. Ele tinha muitas medalhas. Estava caminhando com uma bengala e olhando ao redor de um jeito estranho. Vi então que ele estava olhando ao redor como costumam fazer os cegos, olhando sem ver.

A menina ainda estava se esforçando para segurar o cachorro.

— Vovô — sussurrei — aquele é o sargento Brodie, não é? E o cachorro deve ser a Sombra. Tem que ser.

Todo mundo pareceu se dar conta de quem eles eram — pela matéria do vovô no jornal, imagino — e a multidão começou a aplaudir. Os dois cachorros, Sombra e Cachorro, estavam com os focinhos colados um no outro, abanando os rabos loucamente.

— Desculpem, estamos atrasados — disse o soldado. — O trânsito e tudo o mais em Londres levaram muito mais tempo do que imaginei que levaria, não foi, Jess? Ah, esta é Jess, minha filha. E eu sou o sargento Brodie, aliás. Sou um velho amigo do Aman. — Sombra e Cachorro não paravam de se cheirar e de ganir de excitação.

Por um longo tempo, todos simplesmente ficamos lá parados, sem saber exatamente o que dizer. Então o vovô falou.

— Infelizmente, é tarde demais — ele disse. — Acabaram de nos informar que Aman e a mãe dele foram levados embora nesta manhã, antes de chegarmos aqui. Eles já estão a caminho do Afeganistão. Estamos todos atrasados.

Agora Sombra estava farejando atentamente os meus pés.

— Desculpe por ela — disse Jess, lutando para puxá-la de volta. — A Sombra vai aonde o focinho dela vai. Ela é assim. — O Cachorro não deixava a Sombra em paz. Deve ter pensado que havia encontrado uma amiga para o resto da vida, uma companheira farejadora e abanadora de rabo.

— Ah, mas nós não estamos atrasados — disse o sargento Brodie, com um sorriso. — Vocês certamente não ficaram sabendo das notícias, ficaram?

— Que notícias? — perguntei.

— Sobre o vulcão — disse a filha dele. — Na Islândia. Tem uma imensa nuvem de cinzas no céu, e os aviões não podem voar, nenhum avião, para lugar nenhum, nem para o Afeganistão. Todos os aeroportos estão fechados.

— É isso mesmo — continuou o sargento Brodie. — Acho que é melhor explicar. Quando a Jess leu a matéria no jornal para mim esta manhã, liguei para o regimento, falei com o meu comandante e contei a ele toda a história, parte da qual ele já conhecia, é claro, e ele conseguiu que eu fosse a Londres para ver o ministro imediatamente.

Deu um tapinha numa das medalhas no peito dele, de prata.

— Este negocinho que me deram, a Cruz Militar, abre algumas portas, tem sua utilidade. Eu sempre soube que era uma medalha de sorte, de qualquer maneira. Muitos dos outros rapazes a mereceram tanto quanto eu. A verdade é que sem a minha medalha da sorte e sem esse vulcão da sorte, o Aman e a mãe dele já estariam longe a esta altura, isto é certo. Enfim, a versão curta da história é que Aman e a mãe dele vão ficar. O ministro chamou o caso deles de especial depois de me ouvir. Um caso muito especial. E ele está absolutamente certo. Aman foi um bom amigo nosso, um bom amigo do regimento e do exército. Todos precisamos cuidar dos nossos amigos, foi o que eu disse ao ministro. Ele pegou o telefone e interrompeu a deportação imediatamente. Eu mesmo falei com Aman e a mãe dele por telefone e lhes dei a boa notícia. Acho que eles ficaram muito contentes mesmo! Estão a caminho daqui neste instante.

Levou algum tempo para assimilarmos tudo aquilo e depois para a notícia se espalhar na multidão. Quando aconteceu, houve muitos abraços, comemorações e vivas. Houve uma boa quantidade de choro também. Todo mundo começou a cantar "Singing in the Rain" de novo, embora não estivesse chovendo, se é que você me entende.

O melhor momento para mim, para o vovô e para o tio Mir e a família dele, para todos na multidão, aconteceu mais ou menos uma hora depois, quando vimos um carro chegando pela estrada na nossa direção. Pudemos ver Aman e a mãe dele acenando de dentro do carro. Aman saiu correndo, viu Sombra e correu imediatamente para ela. Ele se agachou e a abraçou. Eu estava bem ao lado deles, com o time de futebol ao redor, todos juntos de novo.

Por um bom tempo, ninguém falou. Sombra estava lambendo Aman nas orelhas, fazendo-o dar risada. Ele então olhou para a mãe:

— Está vendo, mamãe, eu disse que ela me reconheceria, não disse?

— Aman? — disse o sargento, estendendo a mão para ele. Aman se levantou e apertou a mão dele.

— Eu escrevi para você — Aman disse baixinho. — Você nunca me respondeu.

O sargento estava franzindo a testa, tocando acima dos olhos com as pontas dos dedos, como se estivesse com dor. — Eu sinto muito Aman — ele disse —, mas eu nunca recebi a sua carta. Acho que as coisas se perdem. O problema é que eu entrei e

FREEDOM
FOR
GO!

AMAN
BACK

saí muito do hospital nos últimos anos. Foram 15 cirurgias no total. Uma bomba de beira de estrada. No dia em que aconteceu, a Sombra não estava comigo. Nunca teria acontecido se ela estivesse. Estão tentando me consertar desde então. Ganhei uma nova perna e um novo braço também. Funcionam direitinho. Mas não conseguiram fazer nada em relação aos meus olhos. Eu nunca mais vi nada desde o que aconteceu.

Aman deu um passo para trás e percebi que ele estava vendo a bengala branca do sargento pela primeira vez.

— Eu sinto muito — ele disse. — E eu vinha culpando você esse tempo todo por não me responder, cheguei até a odiá-lo algumas vezes.

— Você não tinha como saber — o sargento disse a ele. — Não é culpa de ninguém, Aman. A culpa é da bomba. A culpa é da guerra. E, de qualquer maneira, nós acabamos nos encontrando no final, não é? "É preciso olhar para o lado bom, sempre tem alguém pior do que a gente", era o que a minha avó dizia. E ela tinha razão. Poderia ter sido muito pior para mim. Para alguns dos rapazes foi muito pior. Quando me trouxeram de volta para casa, depois que me feri, quando eu estava no hospital, contei a Jess sobre você e Sombra, e ela resolveu chamá-la de Sombra dali em diante. Ela não poderia mais ser Polly para nenhum de nós. Sombra são os meus olhos agora, e isso eu só posso agradecer a você, filho.

Foi quando Aman viu a mãe trazendo o tio Mir na cadeira de rodas através da multidão até onde estávamos. Ele correu imediatamente até o tio. Em seguida, abraçando tio Mir na cadeira de rodas, Aman olhou para mim e sorriu. Tirei a estrela prateada do bolso e devolvi a ele. Ele não disse nada. Não precisava dizer.

Tarde daquela noite, depois que tudo estava acabado, o vovô e eu estávamos em casa sentados no jardim ao lado da árvore da vovó. Eu estava triste e sabia que não deveria estar. Estava triste porque sabia que aquele havia sido o melhor dia da minha vida e nunca mais haveria outro dia como aquele.

Demos de comer ao Cachorro, que estava deitado aos meus pés, como sempre, com a cabeça pesando sobre meus dedos. Ele parecia triste também, eu pensei, provavelmente por sentir falta de sua nova amiga.

E as estrelas estavam no céu. Estavam olhando para nós, e nós, olhando para elas.

— Não são maravilhosas, Matt? — disse o vovô. — Acho que as estrelas são simplesmente maravilhosas, você não acha?

— São, sim, vovô — respondi. — Mas, se quer saber, acho que vulcões são melhores. Acho que vulcões são realmente o máximo.

Agradecimentos

Muita gente ajudou na criação de *Sombra*. Antes de tudo, Natasha Walter, Juliet Stevenson e todos os envolvidos na realização de *Motherland*, a poderosa e profundamente perturbadora peça que chamou a minha atenção pela primeira vez para o problema das famílias em busca de asilo presas em Yarl's Wood. Então houve dois filmes marcantes e inesquecíveis, que inspiraram e informaram a parte afegã desta história: *The Boy who Plays on the Buddhas of Bamiyan*, dirigido por Phil Grabsky, e *In*

This World, de Michael Winterbottom. Meus agradecimentos também a Clare Morpurgo, Ann-Janine Murtagh, Nick Lake, Livia Firth e tantos outros por tudo o que fizeram.

Postscript

A Guerra no Afeganistão

O Talibã subiu ao poder no Afeganistão em 1996 e governou por cinco anos. O regime rígido era famoso pelos abusos contra os direitos humanos e por sua visão extremista que proibia a educação de mulheres.

Logo depois dos ataques de 11 de setembro de 2001 nos Estados Unidos, Osama Bin Laden foi declarado o principal suspeito pelo presidente George W. Bush. Acreditava-se que Bin Laden estivesse no Afeganistão, e os Estados Unidos deram um ultimato exigindo que o Afeganistão entregasse os líderes da Al-Qaeda no país. O Talibã se recusou, e os Estados Unidos e o Reino Unido começaram a bombardear alvos afegãos em 7 de outubro. No mês seguinte, a ONU autorizou a instituição da Força Internacional de Assistência para Segurança no Afeganistão para ajudar a manter a segurança na capital, Cabul, e seu entorno.

Desde 2001, a balança do poder no Afeganistão se alterou repetidamente, com as forças do Talibã ganhando e perdendo controle sobre diferentes partes do país em diferentes ocasiões. Quando começaram as invasões das forças americanas e britânicas em 2001, pesquisas indicaram que 65% dos britânicos apoiavam a ação militar. No entanto, em novembro de 2008, 68% dos britânicos apoiavam a retirada das tropas do Afeganistão.

Não há números oficiais de vítimas civis da guerra, mas algumas estimativas são de dezenas de milhares. Até 1° de agosto de 2010, 327 militares britânicos haviam sido mortos em operações no Afeganistão.

Yarl's Wood

Yarl's Wood é um centro de remoção de imigração em Bedfordshire, na Inglaterra. O centro tem capacidade de acomodar 405 pessoas e é o principal centro de remoção para mulheres e famílias à espera de deportação do Reino Unido. O complexo inclui instalações educacionais e de tratamentos de saúde para os detidos.

Desde que Yarl's Wood abriu em novembro de 2001, vários protestos e greves de fome foram realizados por detentos no centro em resposta a supostas condições inadequadas, incluindo separação de pais e filhos e falta de acesso a representação legal.

Um relatório realizado pelo Inspetor Chefe de Prisões revelou que algumas crianças estavam sendo mantidas em Yarl's Wood desnecessariamente, e levantou preocupações sobre o bem-estar delas. Em julho de 2010, o governo britânico se comprometeu a terminar com a detenção de crianças em Yarl's Wood.

Cães Farejadores do Exército

Springer Spaniels como Sombra são comumente usados como farejadores pela polícia em presídios e pelas Forças Armadas. Um cão farejador é treinado a usar o olfato para detectar substâncias, como explosivos usados em bombas e a sinalizarem suas presenças aos tratadores. Há cerca de 200 cães militares na ativa, incluindo farejadores do exército britânico, e eles são treinados no Centro de Defesa Animal em Leicestershire, no Chipre.

Em 2010, Treo, um Labrador preto de oito anos, foi agraciado com a Medalha Dickin, o equivalente animal para a Cruz Vitória, por salvar a vida de soldados ao detectar bombas em beiras de estrada no Afeganistão em duas diferentes ocasiões.